분홍 고양이 아름이

분홍 고양이 아름이

발 행 | 2024년 1월 25일
저 자 | 쇠봉이
펴낸이 | 한건희
펴낸곳 | 주식회사 부크크
출판사등록 | 2014.07.15(제2014-16호)
주 소 | 서울특별시 금천구 가산디지털1로 119 SK트윈타워 A동 305호
전 화 | 1670-8316
이메일 | info@bookk.co.kr

ISBN | 979-11-410-6888-2

분홍 고양이
아름이

쇠봉이지음

CONTENT

머리말

　주변의 따돌림과 멸시를 받고 자란 주인공 아름이, 항상 의지할 곳은 부모님 밖에 없었고 발을 딛는 모든 곳에서 상처의 말들이 메아리쳐 울린다. 직면하는 문제에 대해 해결해 나갈 수 없었고 편견과 이해의 부족은 물음표가 아닌 두려움의 상징이 된다. 결코 이겨낼 수 없는 현실, 과연 분홍 고양이 아름이는 어떻게 헤쳐 나갈 것인가?

제1화 두려움

 발걸음을 내딛는 모든 곳을 지날 때마다 바라보는 시선들은 무섭게 느껴졌다. 귓가를 자극하는 소리는 사납게 맴돌았고 검은 그림자가 시야를 가릴 때면 쏜살같이 인적을 피해 벗어났다. 털의 색상이 다르자, 표적이 되는 것은 허다했으며 가족을 제외하곤 누구 하나 곁에 머물지 않았다. 표정은 사납다 못해 날카로웠지만, 눈엔 눈물 한가득 고여 있었다. 그러자 눈을 마주 보던 어머니는 조심스레 다가와 말을 건넸다.

"아름아 무슨 일이 있었길래, 또 눈물 한가득 고여 있어?"

"왜 저를 만지려고 하죠? 친구들은 매몰차게 발길질을 하는 거예요……?"

근심 가득한 표정을 지으며 어떠한 말도 건네지 못하자 적막감은 살갗을 파고들었다. 들리는 소리라곤 주변을 지나치는 자동차의 엔진 소리뿐, 어머니는 입술을 꽉 깨물었다. 훈기 가득한 바람이 온몸을 휘감으며 스쳐 지나가자 닫았던 짧은 한숨을 내뱉으며 부드러운 억양으로 말을 이었다.

"아름아, 너만이 가진 아름다운 분홍의 빛깔이 부러워서 그런 거란다. 엄마도 아빠도 지니지 못한 하나밖에 없는 너의 털을."

"정말요? 그런 거라면 얼마든지 다가와도 되는데 점점 멀어져요……."

"아직 세상에 발을 디딘 지 얼마 안 돼서 그래. 조금만 시간이 흐르면 너의 매력에 달려오는 이들이 많이 있을 거란다. 엄마랑 아빠는 네가 우리보다 행복한 삶을 살아갔으면 좋겠어."

인자한 표정으로 전하는 어머니의 말에 얼굴엔 전과 다른 환한 미소가 담겼다. 하늘은 여전히 하얀 뭉게구름과 따스한 햇볕이 모든 곳을 비추었고 발걸음은 가볍다 못해 날아갈 정도였다. 그늘진 곳에 몸을 기대며 시간을 보내는 모습들이 시야에 잡혔고 아까와 다른 자신감으로 옆을 지나쳤다. 하지만 돌아오는 소리라곤 기대와 다른, 날 선 말들이었다.

"쟤, 뭐야? 완전 이상해. 일부로 저렇게 염색한 건가?"

"설마, 요즘 저렇게 염색하면 사람들이 관종이라고 얼마나 뭐라고 하는데."

"그럼 뭐야? 불쌍하다 불쌍해……."

낯선 대상의 말은 상처가 되기 일쑤였고 돌아오는 거라곤 분노가 아닌 좌절감과 잃어가는 자신감뿐이었다. 주황색 노을과 다가오는 짙은 청색 구름은 어둠이 찾아왔음을 알렸고 무거운 발걸음은 부모님이 계신 곳으로 향했다. 매서운 표정이 아닌 내뱉는 한숨은 현재의 감정을 대변했다. 지켜보던 아버지께서는 인기척도 없이 살며시 다가와 말을 건넸다.

"힘들지?"

"네?"

"대충은 알고 있어. 오늘은 어떤 말들이 힘겹게 했어?"

가슴 한 곳에 자리 잡아 맴도는 말들을 한가득 내뱉고 싶었다. 하

지만 해결되지 않는 숙제처럼 여겨졌고 끝내, 가슴을 크게 흩트려
놓았던 한 마디만을 내뱉었다.

"불쌍하다… 불쌍해……."

"누가 우리 딸한테 그런 소리를 했어? 아빠가 가서 혼내 줄게. 어
디야? 누구야! 네가 뭐가 불쌍해! 이렇게 예쁘고 귀여운 애가 어디
에 있다고."

"아빠… 저도 알아요. 전 다르잖아요. 엄마랑 아빠랑도 다르고 다
른 모두와도 다르잖아요!"

"그렇다고 네가 내 딸이 아니야? 아니잖아. 지금은 네가 어려서 그
래. 조금만 버텨보자. 응?"

항상 똑같은 말을 내뱉는 아버지의 말은 위로가 되지 않았고 오히
려 짜증 섞인 말들과 행동들로 내비쳐졌다. 부모님의 통일성 없는
모습에 희망은 점점 곁을 떠나갔다. 항상 발자국이 남겨 있지 않은
곳을 다녔고 귓가를 자극하는 소리가 들려올 때마다 주변을 경계하
며 고개를 숙인 채 황급히 벗어났다. 미소 짓는 얼굴은 어색할 만
큼 어울리지 않았으며 차가운 무표정은 본 얼굴인 마냥 스며들었다.
가족과의 웃음소리도 사라졌으며 좋아하는 음식이 눈앞에 바로 있

음에도 살가운 억양은 귀를 간지럼 피우질 못했다. 그러자 걱정스러운 눈빛으로 어머니는 입술을 뗐다.

"딸, 밥이 맛없어?"

"아니에요. 맛있어요."

"딸이 좋아하는 음식이잖아. 엄마가 신경 좀 썼는데 표정이 밝질 않네."

"맛있어요. 걱정 안 하셔도 돼요."

그러자 퉁명스러운 억양으로 아버지는 말을 내뱉었다.

"엄마가 너 신경 써서 줬는데도 말을 꼭 그렇게 해야 해?"

"맛있다고 했잖아요. 뭘 어떻게 말을 해야 해요?"

"좀 표정이라도 웃으면서 말해주면 안 돼? 꼭 그렇게 불만 섞인 모습을 해야 해?"

"저도 노력하고 있는 거예요. 그러니까 저한테 뭐라고 좀 하지 마세요!"

"너, 밥 먹을 자격 없어. 나가!"

"여보, 왜 그래. 애도 많이 노력하고 있는데."

"쟤가 무슨 노력을 해. 엄마랑 아빠는 너 그렇게 키운 적 없어. 치

워버려."

"아빠 진짜 너무해요! 저도 노력하고 있는 거란 말이에요……."

안절부절못하는 어머니의 모습 뒤로 아버지의 모습은 평온하다 못해 평소와 다른 점 하나 찾아볼 수 없었다. 어느새 주변은 어둠으로 물들어 '하얀 가로등 불빛'이 거리를 밝혔으며 발걸음을 향하는 모습들이 간혹 시선에 잡혔다. 하지만 그들과 다르게 한걸음 내딛기 어려웠고 마음마저 동화되어 주저앉기에 충분했다.

"딸, 오늘은 밖에 안 나갈 거야?"

"네? 오늘은 그냥 있으면 안 될까요?"

"그럼, 엄마랑 아빠 나갔다 올 거니까 혼자 있어. 알았지?"

"네……."

"음식 남겨놨으니까, 아빠 몰래 먹어. 알았지?"

"네."

"갔다 와서 엄마랑 이야기하자. 네가 좋아하는 거 가져올 테니까."

"조심해서 다녀오세요."

부모님이 곁을 떠나자 혼자만의 시간이 찾아왔다. 그러자 몸은 축 늘어졌으며 자연스레 하얀 벽면에 몸을 기댔다. 의도치 않게 눈은

감기기 시작했고 서서히 감긴 눈꺼풀은, 어릴 적 기억한 곳으로 발
걸음을 디뎠다.

'여보, 아름이 어디 아픈 거 아니야? 분홍색으로 물들어가는데…
….'

'그러게. 아름아, 어디 아픈 곳 있어?'

'아픈 게 뭐야?'

'아야 하는 곳 있어?'

'아야 없어!'

'진짜 없어?'

'응! 없어. 나 분홍색이다! 엄청 예쁘지?'

'우리 딸 엄청 예쁘네.'

'혹시 모르니까 잘 주시하고 있어. 알았지, 여보?'

'알았어. 걱정하지 마.'

'아빠, 어디가?'

'아빠가 어딜 가. 우리 딸 옆에 항상 있어야지.'

'헤. 항상 옆에 있어야 해요. 알았죠?'

'그럼, 언제나 아빠랑 엄마가 곁에 있어 줄게.'

'네!'

익숙한 발걸음 소리가 들려오자 감겼던 눈은 천천히 떠지기 시작했다. 잠깐의 흐릿함이 찾아오더니 주변의 풍경들이 모습을 드러냈다. '하얀 가로등 불빛' 밑으로 '통통'거리며 농구 하는 사람들이 보였으며 갈색의 나무 벤치에 앉아 맥주 한 캔 마시며 들릴 듯 말 듯한, 대화 소리가 귓가를 맴돌았다.

"아름아 자고 있었어?"

"아니요. 잠깐 눈 감고 있었어요."

"후… 아까 아빠가 미안했어. 말 너무 심했지?"

살기서린 말투가 사라지자 나긋한 목소리가 귓가에 닿았다. 의지할 그림자는 역시나 부모님 밖에 없었고 다가오는 포근함에 참아왔던 눈물 한 방울은 볼을 타고 흘렀다. 그러자 아버지는 다가와 끌어안으며 귓가에 속삭이듯 말을 건넸다.

"본의 아니게 생각도 없이 말을 해버렸어. 아빠가 네 맘 모르는 건 아닌데……. 미안해. 아름아."

"아니에요. 제가…… 엄마한테 짜증 부려서 죄송해요."

"엄마랑 아빠가 네 편 들어주고, 네 말 들어주는 거 밖에 할 수 있는 게 없어서 미안해."

"저, 진짜 어떻게 해야 해요?"

"우선 맛있는 것 좀 먹고 좀 더 이야기해 볼까?"

"네……."

눈앞에 좋아하는 음식이 시선에 잡히자 침샘이 분비되기 시작했다. 살짝 코끝을 간지럼 피우는 생선 비린내는 아까와 다른 기분 좋은 소리를 내기에 충분했고 잠시 혼란스러운 감정과 생각을 내려놓을 수 있었다. 허겁지겁 먹는 모습에 부모님의 입가에 미소가 지어졌고 아까와 다른 말투와 행동은 감정을 대변했다.

'둥… 둥… 둥……'

고개를 젖혀야만 볼 수 있는 붉은 적갈색의 종탑에서 10시를 알리는 종소리가 울려 퍼졌다. 그러자 어머니는 반달 미소에 눈웃음을 보이며 말을 건넸다.

"아름아, 많이 힘들어?"

"네. 너무 힘들어요……."

"당분간은 혼자 나가지 말고 엄마랑 아빠랑만 다녀볼래?"

"그래도 돼요?"

"그럼. 엄마랑 아빠랑 같이 다닌다는데 누가 뭐라고 하겠어."

"그래. 아직도 무섭고 혼자 다니기 겁나면 엄마랑 아빠랑 다니자.
예전처럼."

"네……."

"기운 내. 천천히 해도 되니까 걱정하지 마."

"같이 다니면서 익숙해지는 시간을 좀 더 가져보자."

"알았어요. 이제 어디로 가실 거예요?"

"잠깐만 돌아볼까? 같이 다닐 수 있겠어?"

"딸, 힘들면 오늘 여기에 있어도 돼."

"아니에요. 함께하면 같이 다닐 수 있어요!"

"그래. 아빠랑 엄마 잘 따라와. 알았지?"

"네!"

한데 모여 대화를 나누던 장소를 뒤로 한 채 아버지의 꽁무니를 따
라 발걸음을 나섰다. 지나온 모든 곳에 발자국과 함께 대화들이 남
겨졌다. 살랑살랑 불어오는 바람은 또다시 곁을 살짝 스쳐 지나쳤
고 온몸의 훈기가 머물자 발바닥에 땀이 배출되기 시작했다. 중년
의 남성과 여성은 가던 길을 멈춰 발바닥을 핥으며 그루밍을 했고

서로를 향해 한동안 계속되었다. 햇살이 가득했던 나무 아래 그늘
은 가로등 불빛이 나뭇잎 사이사이를 통과하며 햇살과 같은 포근함
을 선사했다.

곁에 다가오려는 움직임이 보일 때면 바삐 움직이는 발걸음을 따라
이동했고 다른 이들의 냄새가 나지 않는 풀밭에 안락한 보금자리를
마련했다. 걱정과 복잡한 감정을 뒤로 한 채 눈이 감기자 어둠은
깊은 꿈의 세계로 인도했다.

*

어릴 적 친했던 친구들과 낯선 이들의 모습이 시야에 가득 채워
졌다. 익숙한 나무 벤치 아래 울부짖는 소리와 사나운 대화들이 쏟
아졌고 꿈속에서 느껴지는 감정의 변화는 다양하게 찾아왔다.

'얘가 아름이야?'

'응. 쟤가 아름이야.'

'넌 왜 우리랑 달라? 너 고양이 맞아?'

'응..'

'거짓말! 한 번도 저런 털을 본 적이 없어!'

'맞아. 네가 고양이라는 걸 증명해봐.'

'그루밍 잘하는 데 보여줄까?'

'한번 해봐.'

까끌까끌한 혀에 침을 묻혀 온몸을 닦는 것을 시작으로 앞발·이빨·발톱의 순으로 몸을 정갈하게 치장했다. 얼굴에 혀가 닿지 않자 침을 묻힌 후, 앞발을 볼과 이마에 대고 원을 그리듯 둥글게 움직이며 선보였다. 작은 앞니로는 털과 발톱을 다듬었으며 발톱은 목덜미와 귀에 있는 큰 이물질을 긁어냈다. 그러자 말을 내뱉었던 검은 점박이를 가진 녀석은 의심이 사라지지 않는지 다시 한번 말을 이었다.

'누구나 할 수 있는 거 아니야? 그루밍은 토끼도 해!'

'고양이 맞거든. 그럼 다른 거 말씀해봐. 얼마든지 해줄게!'

'그래. 그러면 내가 하는 거 따라 해봐.'

숨을 한번 크게 들이쉬더니 반달 눈의 모습을 보이며 입술을 살짝 벌린 채 뿜어대기 시작했다.

'고르륵 고르륵……'

코 고는 소리 같기도 하고 오토바이의 엔진소리 같기도 한 나지막한 목 울림은 부모님과는 조금 다른 울림으로 느껴졌다. 곧이어 '썩소'를 한번 날리며 눈빛을 보냈고 숨을 내뱉으며 입술을 떼자 작은 울림이 전체에 울려 퍼졌다. 그제야 의심이 사라졌는지, 살며시 다가와 볼과 이마를 핥기 시작했고 거리를 두던 낯선 이들 모두 다가와 몸을 비비며 친근함을 표시했다. 오래간만에 느껴보는 살갗 맞닿는 느낌은 새롭다 못해 신비로운 느낌에 사로잡힐 지경이었다. 차가워 보이는 무표정 뒤로 얼굴엔 옅은 미소를 머금자 안개와 같은 흐릿함이 찾아오더니 일순간 모두 곁을 떠났다. 다시 홀로 머무는 시간이 찾아왔고 귓가에 자그마한 소리는 점차 커지더니 익숙한 목소리가 귓가에 울렸다.

"아름아, 일어나야지. 아름아!"

감았던 눈을 뜨자 어둠은 사라져 사람들의 모습이 이곳저곳에서 시야에 잡혔다. 또다시 사람을 피해 목적지 없는 방황이 시작되었고 낯선 소리와 냄새가 다가올 때면 주위를 살핀 후 전속력을 다해 벗어났다. 사람들은 분홍색의 털을 보고는 다가와 손길을 내밀었고 그럴 때마다 아버지는 사나운 울음소리를 뿜어냈다.

'하아악! 크으으 하악!'

경계하는 모습을 보였으나 낯선 그림자는 웃음을 보였으며 핸드폰에선 연신 셔터음이 들려왔다. 다시 인적이 드문 천변의 풀밭으로 자리를 몸을 바삐 옮기자 바닥이 보일 정도의 맑은 천변의 물은 지금까지 마셔온 물들과는 달랐고 비친 얼굴에 비로소 어떤 모습을 띠고 있는지 알 수 있었다.

"어릴 때 랑은 많이 다르지?"

"네? 이게 저예요?"

"예전보다 분홍빛은 진하게 물들어 아름답다 못해 흠뻑 빠질 정도로 예쁘게 변했단다."

"근데 왜 아직도 저를……."

"너의 매력을 몰라서 그래. 엄만 네가 세상에서 제일 예쁘고 너란 존재가 너무 소중하단다."

"엄마랑 아빠만 그렇게 말하지, 친구들은 말 안 해요. 예전에 친했던 친구들마저도……."

"비친 모습을 보니까, 넌 어때? 아직도 실망스럽니?"

조금의 다름만 있을 뿐 누구보다 아름다워 보였다. 시크 하면서도 매력적인 얼굴은 누구에게나 인기를 얻을 정도였다. 가라앉혀 있던 자신감은 비친 모습에 조금씩 꿈틀거렸으며 구름에 가려진 햇빛은 무언가를 암시하듯 우리가 있는 그곳을 비춰 댔다. 따스함과 평화로움이 곁에 맴돌자 입을 '쩍' 벌리더니 긴 하품과 함께 잠의 기운이 찾아왔다. 이기려 발바닥을 핥고 어머니와 아버지의 품을 비벼 댔지만, 눈꺼풀의 무게를 이겨 내지 못했다. 얼마나 지났을까? 아버지의 울음소리와 함께 눈을 뜬 그곳엔 악한 말을 내뱉는 무리가 자리를 잡고 있었다.

"꺼져. 넌 고양이들의 수치고 우리 구역에 올 생각 하지 마!"

"어디서 우리 딸한테 그런 소릴! 아름이 데리고 당신은 어제 있던 곳으로 가. 알았지?"

"여보……."

"걱정하지 마. 이 정도는 내가 해결할 수 있어."

"아빠……."

"걱정하지 말래도, 엄마랑 가 있어. 네가 좋아하는 음식 가져 갈게. 기다리고 있어."

"엄마, 아빠 말대로 빨리 가요. 어서요!"

뒷모습을 보인 채 시야에서 점점 멀어지자 아버지의 모습이 흐려졌으며, 귓가엔 어떤 소리도 들려오질 않았다. 지금껏 본 적 없는 어머니의 무거운 발걸음엔 복잡미묘한 감정들이 표출되었고 시선은 걸어온 곳을 고정했다. 해님은 안녕을 고하며 주황색 노을을 선사하자 영롱한 달님과 별님은 비춰 댔다.

'쿵쿵……'

익숙한 냄새가 났는지 연신 코를 움직였고 곧이어 아버지의 실루엣이 시선에 잡혔다. 얼굴은 치열했던 순간을 증명했으며 다리에는 온갖 상처들에 참아왔던 울부짖음이 쏟아졌다.

'냐옹! 갹!'

한번 내뱉은 울음은 그칠 수 없었고 어머니의 절규는 귓가를 세차게 자극했다. 감정을 통제하지 못하자 사나운 눈매를 드러내며 힘차게 지나온 길을 뛰쳐나갔고 돌아온 아버지의 발과 볼을 핥을 뿐 어떠한 말도 건네지 못했다. 그러자 옅은 미소를 머금으며 말을 건넸다.

"딸이 좋아하는 음식 못 가져와서 미안해……."

"괜찮아요. 많이 아프시잖아요. 잠시 쉬세요……."

"이 정도로……."

"죄송해요. 저 때문에 우리 가족이 이런 일들만 당하고……."

"뭐가 죄송해. 딸 기죽지 마. 알았지?"

"아빠……."

"다시는 너한테 못된 소리 못할 거야. 아빠가 반쯤 죽여 놓고 왔어."

"꼭 부딪혀야만 해요? 방법이 없는 거예요?"

"너를 인정하지 않고 다름을 이해하지 못한다면 앞으로도 수없이 생길 거란다."

"무서워요. 아빠랑 엄마마저 없다면 어떻게 살아가야 해요?"

"모든 건 경험으로 터득하는 거란다. 아직은 너의 마음이 갈 곳 잃은 어린 양처럼 정하지 못해서 그래."

"아빠 혼자 계실 수 있으세요? 엄마 모시고 올게요."

"엄마가 아빠보다 훨씬 강인하고 생각이 많아. 어디 가지 말고 아빠 옆에 있어. 곧 돌아올 거야."

웅장한 엔진소리를 내뿜으며 파란색의 버스가 서너 차례 스쳐 지나가자 사나운 표정 뒤로 어머니는 아버지가 좋아하는 음식을 입에 문 채 품에 스며들었다. 해맑게 웃는 중년 남성과 안쓰럽게 바라보는 여인, 감정의 이중선은 곁에 머물러 한동안 가슴을 찔러 댔다. 고통은 생각보다 컸고 처음 느껴보는 아린 통증은 숨이 멎을 것처럼 다가왔다. 불안감과 떨림은 전혀 사라지지 않고 점차 증폭되어 꿈틀거림은 사라져 갔다.

"여보, 먹을 만해?"

"당신이 준 거니까 당연히 맛있지."

"말이라도 안 했으면······."

"아름이가 많이 힘든 거 같은데, 밥 먹을 동안 당신이 아름이랑 이야기 좀 해볼래?"

"알았어. 걱정하지 말고 먹고 있어. 아름아 엄마랑 이야기 좀 할까?"

식사하는 아버지의 곁을 벗어나 주위를 한 바퀴 돌기 시작했다. 코끝을 간지럼 피우는 낯선 냄새는 찾아볼 수 없었고 낯익은 사람들의 모습만이 시야에 잡혔다.

"요즘 많은 일이 있었네. 그치?"

"네. 모든 게 저 때문에 일어난 일이었어요."

"아니야. 그런 소리 하지 마! 설마 못된 놈들 때문에 그런 거야?"

"아니요. 저만 다른 털 색깔 때문에 그렇잖아요. 엄마나 아빠처럼 하얀 털과 검은 털, 오빠처럼 상아색을 지녔다면 이런 일은 없었을 텐데……."

"오늘 아빠가 널 위해서 행동을 보였는데도, 아직도 이해하지 못하는 거야?"

"저 때문에……."

"모든 건 편견과 이해 부족으로 생겨난 문제들이야. 절대로 너 때문에 생긴 게 아니란다. 엄마, 말 잘 들어. 앞으로도 너에게 힘든 순간들이 하루에 몇 번이고 찾아올 거야. 너에게 물음표를 던질 거고 넌, 선택에 의한 결과가 드리워질 거야. 그때마다 지금처럼 두려워하고 모든 걸 네 탓으로 돌릴래? 단지 다르다는 이유 하나로 네가 피해 보는 것들을?"

"친구들은 절 받아주지 않고 저를 장난감 취급하는데 엄마, 아빠 말고는 아무도 곁에 없단 말이에요……."

"아직은… 아직은 너의 모습을 몰라주기에 그런 거란다. 엄마랑 아빠 친구 중에도 너와 비슷한 친구가 있었어."

"비슷하다니요?"

"우리와 다른 색상, 다른 털……."

"진짜요?"

"그럼. 그 친구도 너처럼 어릴 땐 상처가 많았지만, 서서히 자신을 알아주기에 벗어날 수 있었단다."

"우와!"

어머니의 말을 듣자 눈은 초롱초롱 하다못해 새로운 세상을 경험한 것처럼 빠져들었다. 그러자 그녀는 옅은 미소를 머금으며 반달 미소로 응수했고 다시 한번 입술을 뗐다.

"발을 딛기 어렵다면 천천히 디디면 되고 나서기 무섭다면 굳이 나서려고 하지 마. 단, 네가 당한 일들을 누군가에게 되풀이하지 않았으면 좋겠어."

"네. 알겠어요. 엄마 친구 이야기 더 해주세요!"

"그럴까?"

어머니와 대화가 끝이 나자 아버지는 쩔뚝거리며 다가왔다. 고통 속에 몸이 '축' 늘어지자 발걸음을 멈추기 원했고 별수 없이 경계심을 드러내며 낯선 그림자가 모여 있는 공원 풀밭에 몸을 맡겼다. 고개를 들어 사방을 훑었고 시선은 '주황 가로등 불빛'에 비친 소

나무에 멈춰 섰다. 불빛에 비친 녹색의 이파리는 오묘한 색상의 어울림으로 눈을 사로잡았다. 짙은 군색 같기도 하면서 연한 개나리 색으로 물들어 몽환적인 냄새를 물씬 풍겼으며 지나치는 이들은 핸드폰을 손에서 놓지 않았다. 셔터음 소리는 어느새 가족이 있는 곳으로 향했고 몸과 마음이 지친 나머지 발걸음을 향할 수 없었다. 낯선 손길도 모처럼 허용했으며 살가운 사람의 손길은 그동안 곁에 맴돌지 않던 포근함과 따뜻함을 선사했다. 기분 좋은 미소를 내비치자 나긋한 목소리가 귓가에 닿았다.

"좋아? 아이구 귀여워."

"세 마리 다 가족인가 봐."

"그러게. 근데 얘는 왜 분홍색이야? 누가 염색시켜놓고 버린 건가?"

"그랬으면 진짜 못 됐다! 근데 쟤는 많이 다친 거 같은데? 상처들도 있고……."

"설마 피부병 걸린 거 아니야? 혹시 모르니까 그만 만져!"

"알았어. 네가 아픈 녀석 잘 챙겨줘야 해. 알았지? 안뇽!"

쓰다듬어 주던 손길이 사라지자 품어졌던 미소는 사라졌다.

'둥… 둥… 둥……'

다시 한번 공원의 시계탑에서 종소리가 울러 퍼졌다. 그러자 발길은 점차 사라져 훈기를 먹은 바람만이 살갗을 스쳐 지나갔으며 자신의 존재를 알리는 거라곤 가로등에 비친 나무들이었다. 한 번씩 다가오는 낯선 냄새들은 지나쳤으며 영롱한 달빛과 별빛이 구름을 드리우자 잠의 기운을 맞이했다.

'냐옹… 냐옹.'

어머니의 구슬픈 울음소리가 귓가에 닿았다. 눈을 뜨자 아버지의 얼굴을 시작으로 온몸을 핥았고 숨소리만 들릴 뿐 어떠한 움직임도 찾아볼 수 없자, 그녀는 한숨을 내쉬며 말을 건넸다.

"아름아 아빠 지키고 있을 수 있지? 다녀올 곳이 있는데."

"어디 다녀오시려고요?"

"조금이면 돼. 지킬 수 있어?"

"네? 저… 그게……."

"이대로면 아빠 잃을 수도 있어. 잠깐이면 돼."

"잠깐이라면… 어서 다녀오세요."

"다녀올게."

어머니는 뒤도 돌아보지 않은 채 황급히 어디론가 달려갔다. 두려움은 온몸의 털을 곤두서게 하였으며 긴장감은 점차 증폭되어 심장 소리는 밖으로 드러났다. 해님은 점차 모습을 드러내며 촘촘한 이 파리들을 스쳐 지나쳤고 햇살은 나무 그늘을 이겨 내어 자신의 존재를 알렸다. 아버지의 배 위로 하트 모양의 햇살이 곁에 머물기 시작했다.

'하아악! 크으!'

악한 무리 중 한 명이 다가왔다. 두근거리는 심장 박동은 모두에게 드러냈고 금방이라도 공격하려는 것처럼 자세를 취했다. 그러자 서열이 높아 보이는 연한 갈색과 검은 점박이 무늬를 지닌 자가 바람에 휘날리는 하얀 수염을 선보이며 말을 내뱉었다.

"너에게 모욕을 줬다고 하던데, 맞나?"

"네. 설마 싸우러 온 거라면 돌아가세요! 아빠 아프단 말이에요!"

"꼬마야, 진정하렴. 지금 보니 말과 다르게 넌, 고양이가 맞는 거 같구나."

'하아악! 크으! 하아악!'

"워워, 진정하래도. 싸우러 온 건 아니란다. 잠깐 너희 아빠에게 다가가도 되겠니?"

"다치게 하려고 그러죠? 오지 마세요! 두 번 다시 저 때문에 다치게 할 수 없단 말이에요……."

"하아… 이걸 어떻게 말을 해줘야 하나."

"좀 있으면 엄마도 올 거예요. 그러니까 돌아가세요."

"형님, 이렇게 하시는 게 어떨까요?"

바로 뒤에 따라오던 회색의 호랑이 무늬를 지닌 자가 말을 건넸다. 둘은 귓가에 속삭이듯 작은 소리로 대화를 나누었고 곧, 서열이 제일 높아 보이는 자를 제외하고 무리 지어 어디론가 사라졌다. 그러자 안도의 한숨을 내쉬며 시선을 고정했다.

"다른 녀석들을 물렸단다. 이래도 못 믿겠어?"

"뭐 하려고 하는지 만 말씀해주세요."

"어디가 아픈지 상태를 보려고 하는 것이니 염려하지 말아라."

한 발 한 발 내딛는 걸음걸이에는 자신감이 표출되었으며 사나운 표정과 발톱을 드러내지 않았다. 조심히 다가와 얼굴과 볼을 핥더니 익숙한 냄새가 코끝을 간지럽 피웠는지 힘겹게 눈을 살며시 뜨며 입술을 뗐다.

"오랜만이야… 잘 지냈어?"

아버지의 말이 끝나기 무섭게 계속 그루밍을 해주었고 다른 이들과 다르게 온화한 표정을 드러내며 말을 건넸다.

"바보 같으니라고, 싸우지 말고 피했어야지. 여전하네."

"딸에게 욕을 하는데 어떻게 가만히 있어."

"그러니까 무리에 합류하라니까 그렇게 오기를 부리고 그래!"

"아름이한테 많은 곳을 보여주고 싶었어. 그리고 좋은 사람이 많다는 걸 알려주고 싶었고……."

고개를 좌우로 절레거리더니 못마땅한 표정을 지으며 다시 한번 말을 내뱉었다.

"정말 큰 착각을 아직도 한다는 게 문제야. 이럴수록 너랑 제수씨만 힘들어져. 알잖아!"

"힘들긴, 이것도 행복이야. 멍청한 건 여전하네."

"멍청하긴, 어딜 가도 네 딸은 손가락질당할 거고 무지에서 오는 모욕적인 말도 듣게 될 거야. 아직도 오기를 부려!"

"너, 아직도 잊고 있는 거야……?"

"뭐를?"

"3년 전 곁을 떠났던 토로 말이야. 외면하고 있는 거야?"

"토로……."

한동안 둘 사이에는 어떠한 소리도 귓가를 자극하지 못했고 적막감을 넘어선 감정의 요동침이 드러났다. 한참이 지난 후에야 앞발을 쭉 밀며 스트레칭으로 분위기를 전환시켰고 힘겹게 닿은 말은 충격이었다. 잘못 들은 것처럼 눈을 크게 뜨며 바라봤고 두 수장의 대화에 끼어들며 말을 내뱉었다.

"아빠, 진짜예요? 그런 분이 있었어요?"

"엄마가 이야기한 거로 아는데……."

"전, 엄마가 거짓말하는 줄 알았는데 진짜였다니……."

"아름이라고 했지?"

"네."

"아직도 경계하고 있구나."

"누구신지 모르니까요."

"녀석도 참. 피는 못 속이네."

"딸 인사해. 아빠 친구야."

"정말요? 안녕하세요……."

"토로가 있었다면 네가 이런 일 당하는 일이 적었을 텐데… 미안하구나."

"토로라는 분이 아빠 친구예요?"

"우리의 친구이자 영웅이었고 존경받기에 부족함이 없었지."

"그분은 어디에 있어요?"

"잘 모르겠어······."

"무슨 말이에요?"

"고양이 별로 떠났다는 말도 있고 사람 손에 길러지고 있다는 말도 있고 정확한 정보가 없단다."

"살아 있다면 어떻게든 만나겠지."

"그래야지······."

거대한 인기척이 느껴졌다. 두 수장은 사나운 표정과 날카로운 발톱을 드러냈다. 시선은 풀밭으로 향했고 어머니에게 다가가자 하얀색 가운을 입은 그림자는 조심스레 다가왔다. 아버지의 친구분은 쏜살같이 모습을 감췄고 중년 여인의 구슬픈 울음소리가 귓가에 맴돌았다.

'냥··· 냐옹 냐옹······.'

하얀색 가운을 입은 그림자는 아버지의 배와 다리를 들어 보이며 상태를 지켜보더니 곧, 품에 안은 채 뛰기 시작했다. 어머니를 따라 졸졸 따라갔고 그곳엔 낯선 고양이를 비롯한 강아지들의 모습이 보였다. 우리와 다른 향긋한 냄새는 코끝을 간지럽 피웠으며 발을 내딛는 것을 보고는 골든 래트리버가 말을 건넸다.

"윽, 냄새. 너희 밖에서 생활하는 녀석들이구나!"

"냄새가 많이 나요? 우리는 잘 모르겠는데……."

낯선 풍경과 쉼 없이 쏟아지는 질문 공세에 주눅이 들자, 혀를 내민 채 미소 띠며 상냥한 말투로 다시 말을 이었다.

"여기 온 이상 씻을 수밖에 없을 거야. 근데 여기가 어디인지 아니?"

"아니요. 아버지가 아파서 어머니 따라왔어요."

"여긴 병원이라는 곳이야."

"병원이요?"

"사람에게 길러진 녀석들이 아프면 치료해주는 곳이란다."

"저씨도 사람이랑 같이 살아요?"

"아니, 난… 주인에게 버림받았어."

"네? 아저씨처럼 잘생기고 상냥한 사람이 어디에 있다고 그런 행동을 해요. 사람은 우리의 적이에요!"

"아니야. 좋은 사람도 얼마나 많은데… 여기 의사 선생님이 좋은 분이라 아마 말끔히 치료 해주실 거야. 걱정하지 말고 푹 쉬렴."

"감사합니다."

짧은 대화가 끝이 나자 지켜보고 있던 회색의 털을 지닌 한 녀석이 말을 건넸다.

"안녕하세요! 나이가 어떻게 되세요?"

"전 이제 세 살이에요……."

"우와! 누나라고 불러도 돼요?"

"마음대로 해……."

"이름이 뭐예요? 누나."

살갑게 대하는 녀석 때문에 긴장감을 내려놓을 수 있었고 어머니의 냄새를 따라 유리문을 힘겹게 밀며 안으로 들어섰다.

"엄마!"

"잘 따라왔네."

"왠지 따라가야만 할 거 같았어요."

"잘했어."

"아빠는 어디에 있어요?"

"의사 선생님이 데리고 갔단다. 곧 나올 테니까 밖에 친구들이랑 이야기 좀 하고 있으렴."

"그래도 돼요?"

"당연하지. 아마 당분간 여기에서 생활하게 될 거야."

"네?"

**

　다른 무리가 있는 곳을 향해 발걸음을 디뎠다. 그러자 어머니는 익숙한 듯 땅에 몸을 바짝 기대며 낯선 그림자의 손길을 허락했고 경계심을 늦추자 따뜻한 손길을 향한 그를 바라봤다. 긴 생머리에 빨간 입술을 지녔으며 정이 많아 보이는 인상을 품은 자였다. 조심스러움이 묻어 있는 손길에 먼저 다가가 손에 비벼대자 '픽'이나 귀여웠는지 턱과 배를 쓰다듬어 주었다. 그 사람 또한 하얀 복장으로 깔 맞춰 입었고 얼마 후, 아버지의 모습이 보였다.

'냐옹……'

거친 숨소리는 사라졌으며 몸에는 무언가 꽂혀 있었다. 놀란 나머지 아버지에게 다가가려 하자 어머니는 괜찮다며 고개를 끄덕였고 병원에서의 생활이 시작되었다.

"누나 거기는 왜 들어갔다 왔어?"

"아, 아버지 때문에."

"누난 아빠도 있어……?"

"응. 넌?"

"난… 엄마랑 아빠 얼굴도 모르는데……."

"진짜? 미안."

"아니야. 뭐가 미안해. 근데 누나 털 색깔 우리랑은 다르네."

"너도 내가 싫어?"

"누나가 왜 싫어?"

"털 때문에… 분홍 털 처음 보지?"

"얼마 전에는 파란 털을 가진 형아도 왔었어."

"진짜? 넌, 내가 안 무서워?"

"응! 난, 누나 좋아."

"고마워……."

먼저 다가와 준 녀석 때문에, 감정과 행동의 변화는 살갗을 스칠 정도로 느껴졌다. 그럴 때마다 어머니는 옅은 미소를 보였고 생각보다 많은 인연을 만들어 갈 수 있었다. 처음 마주쳤던 어색함은 사라지고 익숙함이 곁에 머물기 시작하자 다시는 밖을 나서고 싶지 않았다.

"아빠, 몸은 이제 정말로 괜찮으신 거예요?"

"당연하지. 딸은 여기에서 친구들 많이 사귀었어?"

"네! 목욕이라는 것도 처음 해봤어요. 따뜻하면서 깨끗한 물이 몸에 닿았을 때 눈이 살며시 감겼는데, 하얀 거품이 몸을 휘감았을 때는 신기했어요. 개운하면서 냄새도 너무 좋고, 여기 최고예요!"

"다행이네. 딸은 여기 계속 있고 싶어?"

"네. 여기에서는 절, 이상한 취급 안 하잖아요."

"여기에서 그랬으면 아빠가 당장이라도 달려와서 싸웠지."

"이젠 안 싸워도 되잖아요. 너무 좋아요. 냐옹!"

"녀석도 참."

"여보는 불편한 곳 없어?"

"불편한 곳 없는데 자꾸 밥에다 하얀 뭔가를 타. 쓴데 안 먹을 수도 없고……."

"그랬어? 당신도 어디 아픈 거 아니야?"

"아픈지도 몰랐는데."

"흠, 저분은 항상 지켜주시네. 글지?"

"응. 매번 발길질하고 고함치는 사람들만 있는 줄 알았는데 너무 좋은 사람 같아."

"저 분한테는 애교 부려도 돼요?"

"안심해도 돼. 아빠를 보면 알잖아. 상처 하나 없고 오히려 전보다 몸이 더 좋아진 거 같아."

"우와!"

"여보, 언제부터 다시 밖으로 돌아다니면 돼?"

"의사 선생님이 문 열어 주시면 그때부터, 나가면 더 넓은 곳으로 가자."

"알았어. 아름이도 들었지?"

"우리 나가야 해요? 더 있으면 안 돼요?"

"정이 많이 들었나 보네."

"힝, 더 있고 싶은데."

"어쩔 수 없단다. 여기 주인이 아니잖아. 나올 때는 인사 꼭 해야 해. 알았지?"

"당연하죠! 먹을 것도 주고 저에게 얼마나 다정하게 다가와 주셨는데요."

긴 생머리의 그림자가 다가왔다. 낯선 이름을 부르며 손에 무언가를 쥐고 있었다. 당황스러움에 고개를 오른쪽으로 뉘여 작은 울음소리를 내자 귀여웠는지 쥐고 있던 손을 폈다. 그곳엔 골든 래트리버가 먹던 자그마한 하얀 뭔가가 들려 있었고 '킁킁' 냄새를 맡으며 입안으로 들이밀자 꽤 두꺼운 식감과 달콤한 맛에 미소를 보이며 실내화에 비벼댔다. 그러자 옅은 미소를 보이며 말을 건넸다.

"엄마랑 아빠 닮아서 완전 귀엽네."

'야옹 야옹.'

"내가 그리 좋아? 너 이름을 뭐로 할까? 음… 앞으로 여기 올 때는 인절이로 해야겠다. 인절아."

'야옹.'

그는 이름을 지어주었고 또 다른 부름에 낯익은 단어가 귓가에 닿을 때마다 울음소리로 응답했다. 시간이 흐를수록 아버지의 발걸음은 가벼워졌고 어머니의 밥에 들어가던 하얀 가루들과 쓰디쓴 맛들은 한 번씩 드러낼 뿐 사라져 갔다. 날 선 감정들과 행동들이 곁에 머물지 않자 두려움은 사라지고 게으름과 나태함이 곁에 머물렀다.

"하암."

"아름아 요즘 하품만 하고 움직일 생각을 안 해?"

"모르겠어요. 움직이기도 싫고 시간 되면 먹을 것도 주고, 굳이 돌아다니고 싶지 않아요."

"여보, 아름이 어떻게 해?"

"좋은 시간 보낼 수 있게 우리가 이해해주자."

"혹시나 해서 그러지……."

"괜찮아. 당신, 아름이 잘 알잖아."

"에휴… 곧 있으면 태풍도 올 텐데 어디에 있어야지?"

"태풍이 지나가길 빌자, 여보."

해님의 모습이 사라지고 검은 구름이 온 거리를 뒤덮더니 요란한 소리가 귓가를 자극했다.

'우르르… 쾅… 쾅!'

천둥 번개를 시작으로 거리의 나무들은 울부짖는 소리를 내뿜었으며 낯선 그림자의 모습은 간혹 보일 뿐 밖을 나서는 인원은 보기 힘들었다. 하얀 가운의 의사 선생님 또한 걱정스러운 눈빛으로 밖을 바라볼 뿐 어떤 행동도 취하지 않았다. 시간이 흐를수록 창문 너머로 펼쳐진 세상은 전과 다른 모습을 보이기 시작했다. 검은 쓰레기봉투는 바람과 비의 세기에 따라 허공에서 목적지를 정하지 못한 채 이리저리 움직였으며 나무 옆에 몸을 기대었던 맥주병은 '데구루루' 하염없이 굴러갔다. '탕탕' 소리를 내며 깡통은 자신의 존재를 알렸고 유리창은 천둥 번개에 한 번씩 흔들거릴 뿐 다른 세상의 든든한 방패막이가 되어 주었다. 요란한 굉음이 두려웠는지 골든 래트리버 아저씨는 귀를 닫은 채 눈을 감았으며 떨리는 울음소리가 들려왔다.

'크으응… 크으응……'

시선은 자연스레 아저씨에게로 향했고 옆에 살며시 다가가 말을 건넸다.

"아저씨, 어디 아프세요?"

"……"

아무 말도 건네지 않을 뿐 갈수록 표정은 찡그려졌으며 아픈 사람

마냥 거친 숨을 내쉬었다. 곧이어 귓가에 달콤한 목소리가 닿았다.

"간식 먹자. 간식."

자신의 자리를 지키던 녀석들 모두 의사 선생님에게 향했다. 그동안 봐왔던 하얀 개껌과는 달랐고 진한 육류의 향과 부드러운 식감이 침샘을 분비했다. 시선만 한 번씩 향할 뿐 발걸음을 나서지 않자, 입에 살짝 문 채 아저씨에게 건네주었다.

"이거 드세요."

코를 '킁킁'거리며 그는 힘겹게 일어서더니 긴 혀로 천천히 입안으로 밀어 넣었다. 땅을 적시던 비가 멈추자 말을 건넸다.

"간식 줘서 고마워."

"아니에요. 아저씨가 아파 보여서 드린 거예요."

"가족들은 다 먹었어?"

"네. 가족은 다 먹었어요."

"다행이네. 혹시, 넌 사람이랑 같이 살고 싶은 생각은 없니?"

말을 듣자 설렘과 함께 걱정이 동반되었고, 감정의 이중선은 평행선을 달려갔다. 부모님의 모습과 주변 풍경들을 보며 깊은 생각에 빠졌고 입술을 쉽게 떼지 못하자, 그는 추억에 담긴 수수한 눈망울을 보이며 말을 건넸다.

"난 다시 돌아가고 싶은데……."

깊은 여운이 담긴 듯한 그의 말에 어떻게 말을 건네야 할지 순간의 고민이 머릿속을 괴롭혔다. 그러자 떨리는 목소리로 생각 없이 말을 내뱉었다.

"주인과 멀어진 거 라면서요… 그래도 다시 돌아가고 싶으세요?"

상처를 안고 있는 그에게 입 밖으로 끄집어내자 예상과 다른 모습을 보이기 시작했다. 그는 화를 내지 않았고 몸을 '축' 늘어트리며 눈을 살며시 감았다. 유리로 흘러내리던 빗방울은 그의 눈에 한가득 고여 있었다.

"진짜로 날 버린 걸까? 그렇게 잘해 줬었는데… 우리 집에는 너처럼 노란색의 털을 가진 고양이도 있었어. 히랑이가 성깔은 있어도 차별도 없고 착했는데."

"노란색 털도 있어요?"

"처음부터 노란색이었는지 모르겠지만 거기 갔을 때부터 노란색이었어."

"우와!"

"그게 신기하니?"

"네. 엄청 신기해요. 다른 친구들은 뭐라고 안 했어요?"

"전혀. 그런 거 없었어. 넌, 무슨 일 있었구나."

"사실은요……."

그동안 겪어왔던 모든 것을 풀자 닫혀 있던 귀는 집중하려는 듯 '쫑긋' 세웠다. 놀란 표정을 지었으며 입은 연신 맞장구를 쳐주었고 살며시 듣고 있던 녀석까지 다가오더니 말을 건넸다.

"밖은 무서운 곳이에요?"

"아니, 여기와는 차원이 다를 정도로 볼 것도 먹을 것도 엄청 많아! 근데 난, 어딜 가든 시선이 쏠렸고, 그럴 때마다 행동과 말에 상처 받았어. 근데 여긴 너무 좋아!"

"누난 좋겠다. 밖도 나갈 수 있어서… 참, 아까 이야기 들어보니까 누나네 가족 내일 나간다고 하는데 알고 있어요?"

"뭐? 어디서 들었어?"

"의사 선생님이 이야기하는 거 아까 들었어요."

"그래?"

"아름아, 내가 해줄 수 있는 말이라곤 어딜 가든 넌, 잘 해낼 거야.

그러니까 두려워하지 말고 어디든 발을 디뎌봐. 너의 다름을 인정해주는 이들 곁에서 머물기 바래."

"부모님이 항상 하시는 말씀이에요. 근데 그런 애들이 보이지 않는걸요."

"올 거야. 친구든 사람이든."

"기억할게요."

"누나, 나중에 밖에서 보면 꼭 아는 척해줘야 해. 알았지?"

"알았어. 너도 아는 척해. 무시하지 말고."

"응. 알았어! 빨리 누나처럼 밖에 나가고 싶다."

몇 날 며칠 땅을 적시던 회색의 비구름이 사라지자 하늘엔 오랜만에 하얀 뭉게구름과 맑은 풍경이 시선에 잡혔다. 거리엔 발자국 소리가 끊임없이 맴돌았고 흥건히 고여 있던 물웅덩이는 서서히 모습을 감췄다. 하얀 가운의 의사 선생님과 긴 생머리의 그녀는 다가오더니 머리를 살며시 쓰다듬어 주며 말을 건넸다.

"이제 여기 떠날 시간이야. 치료 잘 받아줘서 고마워."

"인절아, 아프지 말고 언제든지 오렴. 다음에는 츄릅 줄게."

서로의 눈을 마주쳤고 떨어지지 않던 발걸음은 아버지의 부름으로 밖을 나섰다. 녀석들은 우리가 밖을 나가자 이별을 깨닫고는 부르 짖으며 감정을 대변했고 마지막으로 환한 반달 미소를 선보이며 거리로 향했다.

제2화 내딛다

근심과 설렘, 불안감과 행복한 감정의 공존 속에 숨을 한번 크게 내쉬며 머물렀던 곳을 향해 쉼 없이 움직였다. 큰 싸움이 있고 난 뒤, 전과 분위기를 풍기고 있었다. 차마 내뱉고 싶지만 무슨 이유에서인지 '꾹' 참고 있는 것만 같아 보였으며, 눈은 위아래로 움직일 뿐 어떠한 말도 귓가에 닿지 않았다. 오래간만에 찾아온 평화로운 일상 속에 부모님의 약속대로 녀석들이 있는 곳으로 발걸음을 나섰다. 익숙한 냄새와 발소리가 귓가에 닿자 작은 수군거림이 시선에 잡혔다. 아무렇지 않은 듯 다가섰고 곧, 말을 건넸다.

"잘들 지냈어?"

예상과 다른 반응에 어리둥절하며 입술을 떼지 못하는가 하며, 몇
몇은 입을 살짝 벌린 채 놀란 표정을 선보였다. 그러자 못되게 굴
던 한 녀석이 다가와 입술을 뗐다.

"뭐… 잘 지냈어. 넌 굉장히 오랜만에 본 거 같다?"

"병원에 있었어."

"병원? 그게 뭐야? 너희 들어봤어?"

부모님의 말씀과 다르게 '썩소'를 선보이며 말을 내뱉었다.

"언제는 어디든 가본 것처럼 말하더니 병원도 안 가봤구나?"

"뭐? 이게 진짜!"

전과 다른 당당한 표정과 숨겨왔던 발톱을 드러내자 녀석은 고개를
숙였다. 아직도 받아주지 않은 것에 화가 나고 가슴이 아려 왔지만,
말과 행동의 변화는 크게 모습을 드러냈다. 그럴수록 자신감이 붙
었으며 두려움의 그림자는 곁에 머물지 않았다. 하얀 뭉게구름이
사라지고 해님은 하늘의 제일 높은 곳에 위치하자 뜨거운 햇살은
온 거리를 드리웠다. 발걸음은 녀석들이 줄곧 머물던 나무 아래 그
늘로 향했다. 더운 날씨 탓에 발을 핥거나 서로의 볼과 얼굴에 연
신 그루밍을 해댔으며 해님이 점차 뉘어져 가자 한 명씩 움직이기

시작하더니 곁에 남은 거라곤 손가락으로 셀 정도의 인원이었다. 곁에 오지 않음에 한숨을 내쉬었고 한없이 처량한 모습과 슬픈 눈망울을 선보이며 고개를 '푹' 숙였다. 그러자 연한 회색과 하얀색의 무늬를 지닌 녀석이 다가와 말을 건넸다.

"예전부터 지켜보고 있었어."

"뭐를?"

"널 지켜보고 있었다고."

"욕하려면 해…….'"

"뭐하러 욕을 하냐, 무식하게."

"뭐?"

"처음에는 신기해서 그리고 애들이 너에게 못된 소리를 하길래 쳐다봤어. 근데 자꾸 볼수록 넌, 정말 예쁜 거 같아."

"내가 예쁘다고…?"

"당연하지. 넌 그렇게 생각 안 해봤어?"

"어릴 때 빼고는 전혀."

"너도 바보네. 울 아빠가 그랬는데, 자신을 낮추거나 못 믿는 사람은 바보라고."

"바보일지도 모르지."

"참, 난 민호라고 해."

"민호?"

"응."

"난 아름이라고 해."

"이름도 예쁘면서 기죽어 있긴."

"넌 어디에 살아?"

"저기 보이는 오래된 아파트 보여? 파란색 원을 띈 로고가 새겨져 있는 곳."

"응! 보여."

"저기에서 머물러. 항상."

"저긴 어때? 좋은 곳이야?"

"잘 모르겠네. 굳이 말하자면 식사하는 거로 자주 싸워. 그래서 종종 사람들에게 쫓겨나기도 하고."

"무서운 동네구나! 우린 안 그래."

"넌 공원이나 경기장 근처에 살지 않아?"

"맞아. 우리는 사람을 피하려고 하는데 오히려 사람들이 다가와."

"사람들 조심해야 해. 언제든지 우릴 공격할지 모르거든."

"항상 조심하고 있어. 근데 사람보다 난, 너희들이 더 무서운걸……."

입술을 닫자 민호는 물끄러미 바라볼 뿐 어떠한 말고 건네지 않았다. 훈기를 가득 먹은 세찬 바람이 곁을 스쳐 지나치자 살며시 다가와 곁에 머물렀다. 시간의 흐름 속 청색의 구름과 주황색 노을은 하루의 마무리를 속삭이자 옅은 미소를 보이며 앞에 서더니 말을 건넸다.

"내일도 여기에 있을 테니까, 내 옆에 앉아 있어. 알았지?"

다가온 민호는 설렘을 가득 품은 말을 남긴 채 시야에서 사라졌다. 특유의 냄새를 잊지 않으려 '킁킁'거렸고 익숙한 울음소리가 들리자 바삐 발걸음을 옮겼다. 부모님은 묘한 표정을 보이는 아람을 보며 생선을 건넸다.

"오늘 좋은 일 있었구나?"

"네? 저 친구 생겼어요!"

함께 할 사람이 생겼다는 말에 어머니는 눈가에 눈물이 고이고 아버지는 살며시 다가와 말없이 볼을 비벼주었다. 고통스러웠던 시간은 조금씩 치유되어 가는 것만 같았고 한 번의 행동은 파급력이 상당히 컸다. 좋은 사람이 있다는 걸 경험한 이후로 경기장과 공원, 두 곳에서의 그림자는 머무르지 않았으며 낯선 이들의 손길도 허락해주었다. 곁에 머물지 않던 녀석도 민호를 시작으로 하나 둘 생겨나더니 어느새 가족과 있는 시간보다 더 많은 생활을 하게 되었다. 그러던 어느 날, 한 번의 사건으로 좋은 감정과 행동은 무너졌다.

"아름아 혹시 애들 봤어?"

"애들이요?"

"민호 엄마, 무슨 일 있어?"

"아니, 이상하게 애들이 안 보여. 어디 갔지?"

"아름아 애들이랑 다녔던 곳 중에 한 번도 안 가본 적 있어?"

"안 가본 곳이요?"

머릿속을 매섭게 스쳐 지나치는 장소가 하나 떠올랐다. 혹시나 하는 마음에 찾아온 어른들에게 장소를 알려 주었다. 같이 다녀온 아버지는 슬피 우는 표정을 지으며 말을 떼지 못했고 한참이 지난 후에야 '파르르' 입술을 떨며 말을 건네셨다.

"애… 들이 많이 다쳤어."

"네? 무슨 말이에요. 다치다니요? 누가요!"

"민호를 포함해서 다섯 모두……."

"얼마나 다쳤는데요? 얼마나요!"

"죽지 않을 만큼… 당분간은 쉬어야 한단다."

"민호한테 다녀올게요."

"아름아, 가지 마."

"네? 친구가 다쳤는데 어떻게 안 가요?"

"그게……."

아버지의 입술에서 나온 말에 자리에 주저앉아 버렸다. 감정의 통제선을 벗어나 미친 듯이 울자, 주변의 사람들은 그런 모습을 보고선 귀를 막으며 욕을 퍼붓기 시작했다.

"저 돌연변이 같은 게 울고 지랄이야!"

"안 꺼져? 저리 안 가!"

어떠한 말에도 자리를 벗어나지 않자 얼굴만 한 돌멩이가 머리 위로 아슬하게 지나쳤다. 그러자 부모님은 앞발로 얼굴을 때리며 다그쳤고 경기장을 벗어나 민호가 머무르고 있는 아파트에 다가섰다. 익숙한 냄새가 코끝에 풍겨왔고 점점 다가갈수록 피 냄새와 섞이자 심장 박동은 미친 듯이 요동쳤다. 앞에 다가서자 다친 애들의 부모님들은 날 선 울음소리와 발톱을 드러냈다.

'하악! 크으! 하악!'

"민호, 얼마나 다친 거예요?"

"네가 뭔데 알려고 그래! 다 너 때문이야. 너 때문이라고! 내가 이래서 너 같은 애랑은 어울리지 말라고 한 건데……."

"민호 엄마, 왜 그래. 손님한테."

"당신 말해봐! 어떻게 아름이는 안 다치고 우리 애들만 다치냐고! 이해가 돼?"

"아름아 거기 장소 알려준 게 너였니?"

그곳을 알려준 것은 다른 녀석이었지만 계속 밀어붙이자 동의를 해야 할 것만 같았다. 말을 내뱉으려 하자 어머니는 가로채더니 말을 건넸다.

"애들이 다친 거 정말 가슴 아픈 일이야. 근데 애가 거길 같이 안 갔다고 책임을 돌리려고 하는 건 너무 한 거 아니야? 그리고 민호 엄마도 알잖아. 아름이 애들도 사람도 무서워서 우리랑 계속 다녔어. 그쪽 간 적도 없고 아름이도 거길 따라간 거라잖아."

"여보, 그만해. 애들 건강이 먼저야. 그리고 형님도 형수님도 아름이도 와줘서 고마워요."

"미안해요. 너무 심하게 말한 거 같네."

"아니에요. 다른 애들도 한번 보시고 가실래요?"

"그래야죠. 가자, 아름아."

눈을 감은 채 고통에 몸서리치며 신음은 쉴 새 없이 귓가를 자극했다. 부모의 눈엔 눈물이 고였으며 누가 이런 행동을 저질렀는지 온갖 소문들이 입과 귀를 타고 전파되기 시작했다. 가족에 관한 내용도 포함되어 있었으며 발걸음은 모여 있던 곳으로 향할 수 없었다. 전보다 더 깊은 나락에 빠져 벗어나지 못했으며 해님과 달님의 모습이 몇 차례 지나가자 민호는 의식을 되찾았다.

"민호야 정신 들어?"

"엄마……."

"그래. 엄마야, 다행이다. 진짜 다행이야."

"애들은 괜찮아요?"

"아직 회복 중이야. 어떻게 된 거야? 거길 왜 간 거야, 대체! 아름이가 거기 알려준 거 맞지?"

귓가에 이름이 닿자 귀를 닫아버렸으며 뒤돌아섰다. 억울함에 눈에 눈물이 고였으며 고개를 '푹' 숙인 채 눈을 감았다. 침을 '꼴깍' 삼키는 소리가 들리더니 민호는 힘겹게 입술을 뗐다.

"우리가 아름이한테 알려준 거예요."

"뭐라고?"

의심의 눈초리를 바라보던 시선은 모두 사라졌다. 한마디의 말에 날 선 말과 행동이 곁을 떠나자 따스한 손길과 위로의 말이 쏟아졌다. 곧이어 민호의 말에 모두 놀라지 않을 수 없었다.

"우릴 공격한 것은 처음 보는 녀석들이었어요."

"뭐라고?"

"연한 검은색 털에 진한 갈색 털을 지녔어요. 그리고 의사소통이 전혀 안 됐어요. 다른 곳에서 온 애들이었는데 벵갈 뭐라고 했던 거 같아요."

"벵갈?"

"얼마 전에 다리 건너에 있는 무리를 공격했다는 녀석들이 있다던데, 그 녀석들 아닐까요?"

"그렇다고 해도 이렇게 어린 애들을 공격해?"

"조심스럽게 한번 알아 볼게요."

"역할을 정해서 알아보도록 합시다."

"좋아요. 다들 그렇게 하죠."

*

　정체를 알게 되자 어른들은 일사천리로 흩어졌다. 부모는 애들을 지키고 있으라며 시야에서 사라졌고 깊은 적막감만이 곁에 맴돌았다. 귓가를 자극하는 소리라곤 매미의 울음 소리뿐이었다.

'매에앰… 둑둑 매에앰…….'

살며시 들여다본 민호의 얼굴은 많이 상한 탓에, 부어 있었고 발톱은 빠져 있었다. 해줄 수 있는 것이 없자, 몸서리칠 때면 앞발을 배에 살며시 올려 두려움에서 쫓아낼 수 있게 해주었고 한 명 한 명의 앓는 소리가 들려올 때면 얼굴과 볼을 핥아주었다. 먼저 다가온 녀석들을 놓고 싶지 않았고 전과 다른 마음의 안정이 이루어졌다. 한 번씩 낯선 소리가 들릴 때면 감았던 눈을 뜨며 경계에 집중했고 목말라 하는 애들을 위해 일회용 그릇에 담긴 물을 건네주었다. 하루의 시작을 알리는 해님은 모습을 보이지 않았고 짙은 구름이 드리우더니 곧, 매서운 폭우가 떨어지기 시작했다. 스쳐 지나치는 그림자는 바삐 움직이며 어디론가 향했고 알록달록한 우산과 자신의 차로 이동하는 모습까지 다양한 행동은 눈에 띄었다. 거센 빗방울은 점차 세기가 약해지더니 곧, 익숙한 냄새와 함께 어른들은 발을 내디뎠다.

"누구인지 확인하셨어요?"

"응. 어떤 녀석들인지 확인했단다."

"어떻게 됐어요? 해결하신 거예요?"

"좀 기다려 보자. 아버지들이 가서 해결한다고 했으니까."

"왜 그랬대요?"

"아름이 털이 다르듯이 자신과 다르다는 이유로 공격한 거 같아."

"네? 우리랑 다르다니요?"

"여기에서 자란 애들이 아닌 거 같아."

"무슨 말이에요? 한국에서 자란 애들이 아니라고요?"

"응. 다른 나라에서 온 애들이라는 구나. 그쪽 무리는 아름이가 당한 것보다 더 심했다고 하네."

"여길 오질 말지. 왜 와서 그런데요. 나쁜 녀석들!"

"그러게."

"아름이가 애들 물이랑 먹을 거 가져다준 거야?"

"아, 네. 혹시 뭐 잘못한 거라도 있는 거예요⋯⋯?"

"아니, 아줌마가 고마워서 글지. 전에 아줌마가 못된 말 해서 미안해."

"네? 괜찮아요. 당연히 그러실 만한 거였잖아요. 저라도 그랬을 거예요."

"엄마 닮아서 또 그런다. 미안해. 아줌마가 실수했어. 너희도 곧, 독립할 시기가 찾아오잖니. 앞으로 애들이랑 같이 다녀도 된단다. 언제나 응원 해줄게."

"아줌마⋯⋯."

가족을 제외하곤 누군가에게 인정을 받아본 적이 없었고 살가운 말들과 사과를 경험한 적도 없었다. 매번 '다름' 이라는 이유 하나로 갈등에 얽힌 소용돌이에서 도망칠 뿐 비교와 자존감의 하락은 평생을 달고 살아야 할 것만 같았다. 어색한 미소를 보이며 감사함에 인사를 건넸고 그러자 어른들의 옅은 미소는 곁을 떠나지 않았다.

'통… 통… 통…….'

다시 시작되는 빗소리에 한 곳에 모여 한숨을 내쉬며 시선을 고정했고 어서 모습이 보이기만을 간절히 기도했다. 그러자 쏟아지는 폭우를 이겨 내며 경직된 표정으로 앞에 멈춰 섰다.

"비가 그치면 우리에게 올 거야. 그리고 말이 안 통해서 다른 무리가 대신 말을 전해주기로 했어."

"어디에서 온 애들이래?"

"바다 건너왔다는데 자세히 모르겠어."

"혹시 싸운 거예요? 다들?"

"당연하지. 별것도 아닌 것들이 까불어!"

"우와! 멋있어요."

"멋있긴, 아름이는 애들 잘 지키고 있었어?"

"애들한테 물도 떠주고 먹을 것도 가져다주고 좀만 지나면 독립시켜도 되겠어요."

"아름이 다 컸네. 다 컸어. 형님 좋겠수!"

"좀만 더 지내다가 친구들과 함께 독립 하렴. 이제 너도 시기가 다 가온 거 같네."

"알겠어요. 근데 많이 사나운가요?"

"기본적인 성깔이 깔려 있어. 근데 녀석들은 사람한테 버림받은 녀석들이라고 하네."

"진짜요?"

"응. 경계심과 분노가 가득하고 자기와 다른 무늬나 털을 가진 무리를 공격했던 거 같구나."

"그렇다고 해도 그렇지. 어떻게 우리를……."

"기다려 보자. 곧 올 테니까."

밤하늘 달님과 별님에 드리워진 짙은 청색의 구름이 사라지자 처음 보는 무늬에 거친 숨소리를 내뿜으며 내디뎠다. 다리 건너의 무리도 합류했으며 아버지의 내뱉은 말을 시작으로 대화가 시작되었다.

"먼 길 오느라 고생했습니다. 아이들이 무서워할 수 있으니 저쪽으로 이동하죠."

예상과 다르게 정중히 대하자 고개를 '푹' 숙인 채 어른들을 따라 이동했다. 족히 100년은 되어 보이는 나무 아래 자리를 잡고 간결하면서도 명확한 어투가 내뱉어 졌다. 그러자 기에 눌러 낮은 목소리로 응수했고 시간이 흐를수록 어깨는 '축' 처졌으며 어떠한 반격도 하지 못한 채 조건을 들어주었다. 모든 대화가 끝이 나자 애들이 있는 곳으로 와, 말을 건넸다.

"안녕하세요. 선제공격한 거 죄송합니다. 사죄드립니다."

어색한 억양과 말투로 주변의 수군거림은 격해졌고 신기한지 시선을 고정한 그림자도 여럿 있었다. 그러자 민호의 어머니는 눈치를 주더니 곧, 말을 내뱉었다.

"바다 건너왔다고 해도 그렇지. 여기에서 살면 여기 문화와 법도를 지켜야 하는 거 아니에요? 설사 몰랐다 해도 어떻게 털과 무늬가 다르다고, 애들을 공격해요!"

다리 건너온 무리는 연신 말을 통역해주었고 잠시 생각에 잠기더니 풀 죽은 목소리로 입술을 뗐다.

"어떤 말로도 당신들을 이해시키지 못할 것입니다. 해줄 수 있는 말이라곤 미안하다는 말뿐 밖에 없습니다. 우리는 바다 건너왔고 사람에게 많은 사랑을 받고 자랐습니다. 하지만 버림받았고 낯선 환경에서의 생활 속, 분노를 고스란히 아이들과 우리와 다른 여러분에게 분풀이했습니다. 죄송합니다. 아이들을 위해 회복되기 전까지 음식을 구해서 먹이도록 하겠습니다. 죄송합니다……."

연신 고개를 숙이며 말을 건네자 부모들은 화를 누그러뜨리며 제안과 사과를 받아 들었다. 그리고 한 명 한 명에게 미안함을 표했고 쓸쓸한 뒷모습을 보이며 곁에서 사라져 갔다. 태풍이 떠난 뒤 맑은 대기와 시야가 넓어지는 것처럼, 증오와 분노는 몸의 치유에 따라 곁에 맴돌지 않았으며 상처의 흔적만이 남겨졌다. 하루가 다르게 성장했으며 홀로서기를 위해 곳곳을 무리 지어 돌아다녔다. 검은 아스팔트로 포장된 천변의 길을 돌아다니며 흘러가는 물과 그 속에 사는 물고기에게 인사를 건넸고 '움푹' 솟아 있는 돌에 자리 잡은 하얀색의 우아한 날갯짓을 뽐내는 백로에게 윙크를 보냈다. 쩔뚝거리는 애들을 위해 쉬어가기를 반복했으며 부모의 걱정과 다르게 하루하루 성장해갔다. 그러던 어느 날, 곁으로 새로 다가온 가족이 등장했다. 익숙한 얼굴과 냄새였고 녀석은 병원에서 봤던 동생이었다.

"어? 어? 어!"

"누나! 나, 기억해준 거야?"

"당연하지. 엄마, 아빠, 병원에서 봤던 동생 여기 왔어요."

"어머, 잘 지냈니?"

"어떻게 된 거야? 병원에서 지내는 거 아니었어?"

"저기 그게……."

모두의 시선은 동생에게 향했고 한숨을 내쉬더니 그동안 있었던 모든 이야기를 건네주었다. 녀석은 병원에서 태어나 줄곧 생활했던 게 아니었고 사람의 손에서 길러졌던 녀석이었다. 하지만 동생까지 키울 여력이 안 되었는지 보호센터로 옮겨졌고 일주일 사이 안면만을 익혔던 이들이 곁을 떠나자 황급히 벗어났다고 말을 전했다. 또한, 부모를 자처한 이들은 친 부모가 아니었고 자식처럼 돌봐 주었다고 한다. 얼굴엔 그동안의 생활을 증명하듯 옅은 미소와 여기저기 묻어 있는 진흙이 모든 것을 증명했다. 다가온 녀석을 향해 이름을 지어주었고 조심스레 입술을 떼며 맞이했다.

"지민아, 너도 우리랑 같이 다니는 거 어때?"

"어딜 누나?"

"너도 독립해야 하잖아. 같이 다니자. 네 친구도 있어."

"진짜로? 친구도 있어?"

"너랑 동갑인 애도 있어."

"우와! 그럼 같이 다닐래! 엄마, 아빠, 저도 누나랑 친구들이랑 같이 다녀도 돼요?"

"당연하지. 같이 다녀도 된단다."

"너도 같이 다니면서 홀로 설 방법을 터득했으면 좋겠구나."

"이름도 생겼으니까 앞으로 지민이라고 불러요. 여보."

"아, 맞네. 지민아."

자신의 이름이 생기자 묘한 미소를 보이더니 눈물 한 방울이 볼을 타고 땅으로 떨어졌다. 흘러내리기 시작한 눈물에 감정을 감추려는 듯 특유의 울음소리를 선보였고 모습을 지켜보던 모든 이들은 옅은 미소를 머금으며 곁을 지켜주었다. 파란 하늘 아래 훈기를 가득 먹었던 바람이 사라지고 한기를 품은 바람이 살갗을 스쳤다. 털은 전과 다르게 곤두섰으며 귓가를 자극하던 매미의 반가운 아침 인사도 더는 들리지 않았다. 요란한 소리와 열기를 내뿜던 네모난 실외기의 모습도 점차 사라져 연한 회색의 커버가 쓰였으며 검은 아스팔트에서 피어오르는 아지랑이도 시선에서 멀어져만 갔다. 해님이 사라지고 어둠이 온 거리를 드리워지자 온도는 낮과 다르게 시원했으며 발걸음을 나서기엔 좋은 온도였다. 그러자 기지개를 힘껏 켜던 민호가 다가와 말을 건넸다.

"우리 돌아다니는 거 어때?"

"좋아. 근데 어디로 다닐 거야? 천변은 사람이 많이 다녀서 위험하잖아."

"경기장 근처 갈까?"

"괜찮긴 한데, 지민이는 괜찮을라나 모르겠네."

"왜?"

"아… 지민이가 사람을 좋아해서 혹시나 해코지당할까 봐 그러지
……."

"지민이도 지민이지만 너도 위험 하잖아. 털 색깔 때문에 항상 네가 표적이 되는 것도 있고."

"괜찮아. 이거 못 이겨 내면 독립 못 한다고 했어."

"애들 불러 모을게. 여기에서 기다리고 있어."

"알았어. 조심히 다녀와."

곁에 다가오는 애들을 향해 얼굴과 볼을 비벼주자 기분이 좋은지 눈을 감으며 콧노래를 흥얼거렸다.

'크응…….'

간혹 보던 모습이었지만 상처들이 적어지고 통증이 사라진 이후로 감정 표현에 솔직 해졌으며 다가오는 작은 행복에도 고민 없이 행

동했다. 곧이어 경직된 얼굴로 지민이가 다가왔다.

"걱정하지 마."

"응? 무슨 걱정?"

"얼굴에 다 쓰여 있거든."

"아… 니야! 난, 용감한 고양이라고!"

처음 부모의 곁을 떠나 발을 디딘 지민, 경계심은 심히 드러나 눈은 쉬지 않고 사방을 경계했으며 한 번씩 뒤를 돌아보며 멀어져 가는 보금자리를 바라봤다. 그러자 민호는 사람의 인기척도 다른 이들의 그림자도 보이지 않자 지민이 곁에 다가가 말을 건넸다.

"지민이 멋있네."

"형, 무슨 소리야? 멋있다니… 나 놀리는 거지?"

"네가 사방을 훑었잖아. 그래서 안전하게 돌아다닐 수 있었는데, 넌 몰랐어?"

"그건 그냥……."

"처음에는 무섭고 겁도 나고 빨리 다시 돌아가고 싶고 그래. 형이랑 아름이는 주변을 훑지도 못하고 꽁무니만 졸졸 따라갔었는데, 뭘."

"진짜야 누나?"

"그럼. 너처럼 그러지도 못했어. 넌 용감한 고양이야."

"헤헤. 이제 어디 갈 거야?"

"혹시 모르니까 여기에서 쉬다가 다시 부모님께 돌아가자. 점점 거리를 넓혀 갈 거고 무슨 일이 생기면 혼자 해결하려 하지 마. 알았지?"

"응! 형들이랑 누나들만 따라 다닐게."

차가운 한기, 살갗을 스쳐 지나가는 바람은 두 눈을 감기게 했다. 한 번씩 요동치는 바람 소리는 귓가에 기분 좋은 노래를 선사했으며 수시로 비춰오는 자동차 전조등은 주변의 상황을 인지할 수 있었다.

"저기 고양이들 봐. 완전 귀여워."

"그러게. 길냥이 녀석들."

"근데 쟤는 색깔이 좀 이상하지 않아?"

"한번 비춰볼까?"

휴식을 취하는 우리의 곁에 작지만 강한 '하얀 불빛'이 그림자를 집어삼켰다. 모두 놀라 잠을 청했던 모습을 황급히 숨기며 사방을 경계했고 서서히 다가오는 사람과 자동차 한 대 사이를 두고 대치했다. 그들의 억양에서는 전혀 우리를 공격하지 않음을 느낄 수 있었고 계속된 대치에 경계심을 살짝 늦추며 풀밭에 몸을 맡겼다.

"그러네. 분홍색이네."

"어디 아픈 거 아니야?"

"아닌 거 같은데……."

"그럼. 뭐지?"

"있잖아. 스핑크스 고양이라고 걔들도 분홍색 있어."

"쟤는 그 종이 아닌 거 같은데?"

"그러게. 어디 아파 보이는 곳 없어 보여서 다행이다. 사진 찍어서 인터넷에 올려보자. 알 수 있을 거야."

"응. 애들 쉬는 거 같으니까 소시지 하나만 주고 가자."

"금방 사 올게."

역시나 공격하지 않았고 자동차 중간 지점에 소시지를 조각 내 뒷모습을 보이며 사라졌다. 그림자가 더는 머물지 않자 차례로 향했다. 혹시나 하는 걱정에 입맛만 다실 뿐 혀를 대지 않자, 민호는 눈을 꼭 감고 입안으로 직행했다. 아무 말도 없이 되돌아오더니 기분 좋은 '골골'거리는 소리를 내뿜었다. 그러자 한 명 한 명 맛을 보았고 민호를 따라 환호성을 질렀으며 지민은 반달 미소를 선보이며 힘차게 콧노래를 흥얼거렸다. 달님과 별님은 다가오는 해님에게 양보하듯 연한 회색 구름의 품으로 사라지더니 멀리 보이는 산 능선으로 주황색 노을은 웅장한 자신의 존재를 알렸다.

'짹짹……'

쉬고 있던 참새와 비둘기는 거리의 파수꾼이 되었고 햇살이 건물 사이사이를 뚫고 조금씩 그림자를 형성하자 바삐 움직이는 사람의 모습과 주차된 차들은 어디론가 급히 이동했다. 지켜보던 민호는 말을 건넸다.

"집으로 돌아가자. 오늘, 처음으로 같이 다닌 지민에게 차례로 그루밍 해주자."

"좋아. 가만히 있어."

사방에서 본인을 향해 다가오자 얼굴엔 반달 미소를 품었지만, 입에서 내뱉어지는 건 고통의 소리였다. 순서 없이 사방에서 달려와 털을 핥았으며 얼굴과 볼을 비벼대자 '흠뻑' 비에 젖은 것처럼 눌러져 있었고 반달 미소와 다르게 눈은 일자 눈이 형성되었다. 그런 모습에 무리는 지민을 놀려 댔고 싫지만은 않은 지 코웃음 소리가 귓가에 닿았다. 하얀 줄무늬 상의와 검은 바지를 입은 무리가 지나칠 때마다 반응은 한결같이 똑같았고 성별을 나눌 수 있었다. 바지를 입은 무리는 머물거나 '야옹' 거릴 때마다 돌멩이를 던지며 위협하는 행위를 선보였고 검은 치마를 입은 무리는 사진을 찍거나 간식을 건넬 뿐 어떠한 행위도 하지 않았다. 오히려 다양한 색상과 옷장을 겸비한 사람일수록 무관심으로 일관했고 처음 밖을 나선 지민에게 모든 걸 속삭였다. 하지만 어느 순간 공포가 물밀듯 스며들자 지민은 고개를 숙였고 눈은 반쯤 감겨 있었다. 발걸음을 나서던 곳이 시야에 잡히자, 그곳엔 부모가 애타게 기다리며 맞이하고 있었다. 지민의 부모를 제외하곤 걱정스러운 눈빛을 찾아볼 수 없었고 짧은 인사를 고하며 각자의 보금자리로 발걸음을 돌렸다. 해는 어느덧 아파트 옥상 정도의 높이를 향해 치솟고 있었으며 거리의 그림자와 햇살이 비추는 곳이 확연히 드러났다. 냄새가 풍겨오는 공원에 들어서자 눈은 감기기 시작했고 항상 머물던 곳에 발을 내딛자, 깊은 꿈의 세계로 향했다. 발을 내디딘 곳은 익숙한 풍취가 물씬 다가왔다. 꼭 와본 적이 있는 것만 같은 풍경들이 눈앞에 서

성거렸다. 커다란 나무들 사이로 향긋한 풀냄새는 코끝을 간지럽
피웠고 물기를 먹은 나무는 촉촉한 자태를 드러냈다. 녹색의 이파
리를 뚫고 나오던 햇살은 분홍 털에 머물러 포근함을 선사했으며
인공 폭포에서 떨어지는 물소리는 귓가를 풍족하게 했다. 자리를
지키는 한 명이 시선에 잡혔고 파란 털을 가진 자였다. 혹시나 하
는 마음에 그에게 다가가 말을 건넸다.

'저기 혹시 토로 아저씨 아니세요?'

'네가 아름이구나. 많이 컸네.'

'어떻게 저를 한 번에 아셨어요?'

'엄마랑 아빠를 쏙 빼닮았으니까, 알았지.'

'저… 아빠가 그랬어요. 아저씨가 우리들의 영웅이라고!'

'영웅? 아빠가 너무 치켜세워줬구나. 나를.'

'제 털이 매력이 없는 건가요? 아니면 제가 모든 싸움의 원인인가
요…?'

한 치의 망설임도 없이 그는 말을 건넸다.

'전혀. 넌 누구보다 아름답고 가지지 못한 무한한 능력과 매력이
있단다. 하지만 다른 모습 때문에 앞으로 힘겨운 일들이 많이 생길

거고 넌 이겨 내야 한단다.'

'솔직히 지금도 무서워요. 부모님 곁을 떠나 이제 이곳에 못 올 생각을 하니 한숨만 나오는걸요……'

'한숨이 웃음으로 바뀔 거고, 무서움이 자신감으로 변할 거란다. 숨으려 들지 마. 밖으로 나서는 이상 숨을 수밖에 없는 상황이 계속 너를 시험에 들게 할 거란다.'

'저는 아저씨처럼 될 수 없는 건가요?'

'나처럼?'

'네. 아저씨처럼 영웅이 되고 싶어요!'

'너도 참, 못 말리네. 아저씨는 영웅이 되고 싶은 마음도 노력도 하지 않았어.'

'무슨 소리예요……?'

'신념과 가치관을 확고히 가지고 있었을 뿐이야. 하지만 정립하기까지 많은 경험과 이해의 충돌이 진행되어야 하고 개인적 가치관과 사회적 가치관의 대립에서 상황에 맞는 판단을 해야 한단다. 한쪽만 쏠린다면 너의 생각과 행동에 상처를 받을 테니까.'

'상처요…?'

'응. 네가 받은 상처를 되돌려줄 수도 있고 그것보다 더 고통스러운 살갗을 파고드는 흉측한 모습이 드러날 수도 있단다.'

'아니에요. 저는 안 그럴 거예요!'

'우리는 변해. 경험에 의해서, 타인에 의해서 혹은 너의 의지에 의해서.'

'아저씬 그럴 때마다 어떻게 이겨 내셨어요?'

'아름아.'

'네?'

'모든 걸 경험해 봐. 다음에 아저씨를 만날 때 전해주렴. 항상 너를 믿고 의지하는 이들에게 보여주고 어울려 보렴. 이젠 아저씬 가봐야겠다. 많은 일이 기다리고 있어. 주저하지 말고 그곳을 향해 달려가 보렴.'

'네. 알겠어요. 다음에 꼭 전해 드릴게요!'

감았던 눈을 뜨자 해는 제일 높은 지점을 지나 뉘여 가고 있었으며 어머니는 발을 핥으며 체온을 유지시키고 있었다. 아버지는 한 번씩 쑤셔오는 통증에 앓는 소리를 내며 잠과의 사투를 이어 나갔다.

'휘이이… 휘이익……'

불어오는 바람에 길을 거닐던 사람은 연신 미소를 머금었고 더위가 사라진 후로 날 선 말투와 일자 눈의 표정은 사라졌다. 진한 갈색의 나무 벤치에 중년의 부부가 다가와 앉더니 입술을 뗐다.

"여보, 여기 귀여운 애들이 있네."

"어디 보자. 길고양이 녀석들이구나."

"눈망울 봐 봐. 어쩜 이리도 인형들 같을까."

"당신 고양이 키우고 싶어?"

"아니, 키우고 싶진 않아. 근데 이렇게 보는 건 너무 좋네."

"당신 황구 못 잊어서 그래?"

"우리 황구, 정말 착했는데……."

"애교도 많고 그렇게 착한 놈은 내가 본 적이 없었어. 그때가 마지막인 줄 알았으면 맛있는 것 좀 해줄걸."

"그래도 편히 있다가 갔잖아. 녀석들도 좋은 사람들 만나서 지냈으면 좋겠는데."

"오히려 이게 좋을 수도 있지 않을까?"

"왜?"

"황구 키우면서 느낀 거지. 산책을 자주 시켜줘도, 녀석들은 자유로이 어디든 돌아다녀야 하는데 왠지 인간의 욕심으로 얽매고 있는 건 아니었는지 그런 생각 들더라고."

"당신 말이 맞는 거 같네. 여보, 물 있지?"

"물 좀 주게?"

"응. 줄 수 있는 게 이거 밖에 없잖아."

"여기 종이컵에다 주면 되겠네. 잠시만."

중년의 부부는 맑은 물이 담긴 종이컵을 따라주었다. 그러자 잠을 자고 있던 아버지는 벌떡 일어나며 앞으로 향해 나아갔다. 생각보다 시원하고 물맛이 좋았는지 경계심을 늦추며 촉촉한 입안을 적셨다. 중년 부부는 미소와 함께 사진을 찍어 댔고 물을 다 마시자 다가오는 손길을 거절치 않고 받아 들었다. 따스한 손길과 다르게 손등에는 다른 이들보다 주름이 많았으며 아저씨의 손에는 세월의 흔적이 고스란히 담겨 있었다. 굳은살과 더불어 피부의 각질 덕에 거친 느낌이 다가왔으나 떨리는 손길에 감정의 요동침은 조심스레 머물렀다.

'둥… 둥… 둥…….'

5번의 종소리가 공원 전체에 울려 퍼지자 사람들의 발걸음은 목적지로 향했다. 중년 부부는 옅은 미소를 머금으며 이별을 고했고 찾아온 보랏빛 하늘은 하루의 시작과 끝을 알렸다. '하얀 가로등 불빛'과 '주황 가로등 불빛'은 거리 위를 밝혔으며 자동차의 전조등은 자신의 존재를 알렸다. 웅장한 엔진소리와 곳곳의 대화 소리는 귓가를 자극했고 검은 연기와 더불어 코를 간지럽 피우는 생선 굽는 냄새, 어디선가 들려오는 노랫소리가 품에 다가왔다. 아파트의 '하얀 불빛' 속에 웃음소리는 행복한 하루의 마무리를 속삭였으며 앞발을 고정한 채 조심스레 뼈를 발라 식사를 하자 '퍽'이나 귀여웠는지 아버지는 오랜만에 말을 건넸다.

"맛있어?"

"네. 생선은 사랑이에요."

"뭐? 어디에서 배운 거야. 대체."

"주변에서 다들 말해서 저도 한 번 써봤어요."

"그래? 아빠도 내일부터 한 번 해봐야겠는걸."

"여보, 하지 마. 저건 어리니까 하는 거지. 당신이 하면 욕먹어."

"누가 욕을 해. 나쁜 야옹이 같으니라고!"

"뭐야? 당신 나한테 한 거 같은데? 맞지?"

"하하하. 오늘 당신이 가져와서 그런가, 고기 맛이 최고네!"

"나한테 한 거 맞네. 야옹!"

두 그림자의 사랑싸움은 시시때때로 나타났다. 그럴 때마다 콧방귀를 낼 뿐 어떠한 행동도 하지 않았다. 익숙한 발걸음 소리가 들려왔고 민호는 고개를 오른쪽으로 저으며 갈 시간임을 알렸다. 부모의 끄덕거림으로 발은 또다시 움직였다. 익숙한 냄새가 다가오고 있음을 알 수 있었고 낯익은 그림자들이 곁에 머물자 그는 숨을 한 번 내쉬더니 말을 건넸다.

"오늘은 다른 동네를 한번 가보려고 해."

민호의 말이 떨어지기 무섭게 수군거림과 긴장된 표정이 드러났다. 한 번도 발을 디뎌본 곳이 아닌 다른 곳으로 이동한다는 소리에 깊은 한숨이 쏟아졌고 아무것도 모르는 지민은 더 멀리 이동한다는 사실에 미소와 함께 설렘의 감정이 표출되었다. 세상 구경이 신이 난 지민, 다그치며 위험성을 알리자 설렘은 사라지고 어제와 같은 경계심이 드러났다. 발을 내딛자 일순간의 적막감과 함께 몇몇은 혹시 모르는 상황을 대비해 발톱을 치켜세웠다. 인도의 가장자리를 따라 이동하자 아무런 내색 없이 사람들은 바삐 이동했으며 주인과 함께 거니는 개들 또한 시선조차 주지 않았다. 다만 집안에서 길러 온 고양이 녀석들은 앙칼진 모습과 함께 사나운 목소리를 드러냈지 만 가소로운 듯한 표정과 함께 콧방귀를 뀌며 여유로운 모습으로 발길을 재촉했다. 은백색의 긴 가드레일의 모습이 드러나자 민호는 숨을 들이마시며 내뱉더니 모두를 향해 말을 건넸다.

"여기 다리만 건너면 한 번도 가본 적 없는 곳이야. 혹시 모를 위 험에 대비하고 낯선 모습이 보이며 눈도 마주치지 마. 알았지?"

"응!"

"좋았어. 먼저 뛰어 갈게. 부르면 다리 끝으로 달려와. 알았지?"

"응!"

민호는 뒤를 돌아 안심시키려는 듯 옅은 미소를 보이더니 다리의 끝을 향해 힘껏 달려갔다. 침을 '꼴깍' 삼키거나 한숨을 내비쳤으며 몇몇은 아무런 탈 없이 끝에 도달하기만을 기도했다. 민호의 뒷모 습이 점점 흐릿해지더니 곧, 특유의 울음소리가 귓가를 자극했다.

'야옹! 야옹! 야옹!'

도착했음을 알리는 울음소리가 닿자, 민호를 향해 달려가기 시작했 다. 뒤를 돌아보자 꽁무니를 바라보며 '졸졸' 따라왔으며 지민은 숨을 헐떡이며 뒤처지지 않으려 안간힘을 썼다. 사람들의 움직임을 따라 도로를 건너 검붉은 벽돌을 이룬 주택 단지에 들어섰다. '하얀 가로등 불빛'은 발을 딛는 모든 곳에 나타나지 않았고 코너가 형성되어 있는 골목에만 음침한 풍취를 풍기며 '주황 가로등 불빛' 만이 그림자가 다가오기만을 기다렸다. 낯선 냄새도 인기척도 느낄 수 없었고 주택 단지에는 전혀 사람의 모습도 찾아볼 수 없었다. 몇몇 가구를 비롯해 존재를 알릴 뿐 불은 꺼져 있었고 전혀 느껴 본 적 없는 적막감과 고요함이 온몸을 짓눌렀다. 전봇대 사이에는 하얀 바탕에 빨간 글씨가 눈에 띄었으며 구석진 곳엔 폐가들이 시야에 잡혔다. 갈라진 담 위로 올라 반쯤 주저앉은 집으로 발을 디뎠다. 잡초는 대문의 반절만큼 자라 있었고 깨진 항아리들이 눈에 띄었다. 사뿐히 발을 딛으며 조심스럽게 집안으로 향했다. 하지만 먹을 수 있는 것이라곤 찾아볼 수 없었고 민호의 울음소리가 귓가에 닿았다.

'야옹… 야옹…….'

소리를 따라 발을 딛자 아직 온기가 남아 있는 하얀 냉장고가 시선을 사로잡았다. 민호의 힘으로는 역부족이었는지 부른 것이었고 함께 힘을 모아 냉장고의 문을 열자 푸른 비늘의 고등어와 빨간 살과 하얀 지방이 이상적인 돼지고기가 침샘을 분비시켰다. 옹기종기 모여 눈치 없이 입안으로 직행시켰고 오래간만에 먹어보는 고기 맛에 얼굴엔 흐뭇한 미소가 품어졌다. 배는 산의 능선처럼 부풀어 올라 움직일 수 없자 막내 지민은 한 사람씩 배를 '쿡쿡' 찔러보며 장난을 쳤다. 기분 좋은 나머지 짜증과 분노 없이 장난을 받아주었고 전에 느꼈던 두려움은 멀어져만 갔다. 한 번씩 들려오는 발걸음 소리에 빛이 들어오지 않는 구석으로 피했으며 포근한 보금자리가 생겼다는 생각에 경계심을 뒤로 한 채 잠시나마 꿈의 세계로 발을 디딜 수 있었다.

'야옹⋯⋯.'

한 번의 울음소리, 익숙한 소리가 아니었고 도움을 요청하는 간절한 목소리였다. 인원을 확인하자 무리가 아닌 것을 깨닫고는 민호는 기지개를 켜더니 곧, 앞으로 나와 입술을 뗐다.

"저기 애들아, 계속 도와달라고 하는데 너흰 어떻게 생각해?"

"신경이 쓰이긴 하는데, 다른 무리가 있을 수도 있으니까 조금만 기다려 보는 거 어때?"

"혹시 모르잖아. 사람에게 버려진 녀석이라면 가서 도와줘야 하지 않을까?"

"맞아. 버려진 녀석일 수도 있고 혹은 무리에서 쫓겨난 녀석일지도 몰라. 우리라도 도와주자."

의견은 팽팽하게 대립했고 어느 한 곳에 편을 드는 것이 어려웠다. 끝없는 대립 속, 깊은 고뇌의 시간이 흐르고 답이 정해지자 모두를 향해 말을 건넸다.

"한마디 해도 될까?"

"아름아……."

"오! 아름아 너도 말할 자격 있으니까 해도 괜찮아."

"아름아, 괜찮으니까 말해."

"고마워 다들. 그러면 말 이어서 할게. 어떤 녀석일지도 모르고 혹은 전처럼 처음 보는 녀석일지도 모르지. 근데 왠지 모르게 그곳으로 가고 싶어. 너희도 털이 혹은 피부가 다르다는 이유로 모질 말도 건넸고 발길질도 했잖아. 근데 지금은 서로의 다름도 인정하고 서로를 믿고 의지하잖아. 저 녀석도 누군가를 의지할 녀석을 찾고 있을지 몰라. 너희들이 무섭다면 앞장서서 갈 테니까 같이 함께 해줄래?"

입술이 멈추자 적막감이 찾아왔다. 피부로 느껴질 만큼 깊은 무언가 담고 있었고 눈치를 보며 입술을 뗐다 붙기를 반복했다. 그러자 막내 지민은 앞발을 힘차게 들어 올리며 입술을 뗐다.

"누나 따라서 같이 갈래!"

**

　한 번의 울림은 서로에게 전달되었고 작은 울림은 큰 울림이 되어 한 명의 망설임 없이 모두 빠르게 움직였다. 소리가 나는 곳에 가까워질수록 귓가를 자극하는 강도는 거세게 맴돌았고 바로 앞에 발걸음을 멈추자 소리는 일순간 사라졌다. 하지만 거친 숨소리와 함께 강한 떨림이 느껴졌고 약속한 그대로 앞장서서 녀석에게 다가갔다.

'야··· 옹······.'

녀석과 누런색의 강아지는 줄에 묶여 있었고 사람의 흔적은 찾아볼 수 없었다. 모든 가전제품과 가구는 시선에 잡히지 않았고 깨진 유리 파편들과 항아리만이 사람이 머무르는 집이 아닌 것을 말하고 있었다.

"네가 낸 거 맞지?"

"구해줘……."

"어떻게 푸는 건데?"

"잘 몰라. 저기 누렁이는 알아."

"그래? 기다려."

"누렁아 안녕."

"오지 마! 고양이 하고는 친구 따위 안 해."

"너, 여기에서 계속 있어야 하는데?"

"주인님은 절대 나를 떠날 일이 없어. 다시 올 테니까!"

화를 내는 것처럼 말을 내뱉었지만 둘은 음식과 물을 한동안 못 먹었던지 말에 힘이 없었다. 지민은 잠긴 수도꼭지를 힘겹게 밀며 작동시켰고 곧 그릇의 물을 허겁지겁 마시며 갈증을 해소했다.

"우리랑 친구가 안 되어도 돼. 단지 너희를 구해주고 싶을 뿐이야."

"말귀가 안 통하네. 곧 있으면 주인님이 오실 거라니까!"

"네 말 무슨 말인지 알아. 그래도 묶여 있는 것 보다 풀어진 상태가 더 낫지 않겠어?"

"그래도 되긴 하는데…….."

"푸는 방법 알려줘. 그리고 우리가 먹을 것 좀 가져다 줄게."

깊은 고뇌에 잠긴 누렁이, 한참 동안 입술을 떼지 못했고 감은 눈엔 추억과 조바심이 묻어 나왔다. 묶여 있는 녀석 또한 방향을 옮기며 눈을 감았다. 무슨 생각을 하는지 알 수 없었지만, 희망과 기다림, 절망과 간절한 마음의 교차점을 찾고 있는 듯 보였다. 한참이 지난 후에야 슬픈 눈동자를 보이며 말을 건넸다.

"도와줘. 우릴…….."

입 밖으로 떨어지자 민호는 다시 한번 누렁이에게 말을 이었다.

"어떻게 해야 해? 방법을 알려줘."

따뜻하게 건넨 한마디에 누렁인 눈물을 보였고 '파르르' 떨리는 앞발로 체인 줄을 가리키며 말을 건넸다.

"이거 입으로 물어. 너, 물 수 있겠어?"

누렁이를 따라 연신 물어보려 사투를 벌였지만, 입이 작은 탓에 체인 줄을 물 수 없었고 누렁인 자신의 체인 줄을 깊숙이 박혀 꽂혀 있는 쇠말뚝으로 이동하더니 갈고리의 모양을 따라 체인 줄을 통과시켰다. 자유로이 돌아다닐 수 있었지만, 땅엔 스치는 체인 줄 소리가 귓가를 자극했다.

'스윽… 탕탕… 스윽…….'

누렁인 녀석은 앞으로 가 쇠말뚝에서 체인 줄을 풀어주었다. 하지만 문제는 목에 감긴 인식표와 목줄이었고 고민하던 찰나 누렁인 벽에 기대더니 힘껏 목을 위아래로 움직였다. 힘에 못 이겨 버클이 움직이자 조여 있던 목줄은 순식간에 풀어졌다. 버클을 입으로 제치며 조여 있던 목줄과 방울을 목에서 풀어주었고 울부짖었다.

'야옹! 야옹!'

한참을 그렇게 울부짖더니 둘은 활짝 미소를 보이며 다가와 말을 건넸다.

"고마워. 진짜 고마워!"

"고맙긴, 너흰 이제 어떻게 할 거야?"

그러자 큰 그림자를 지닌 그는 모든 것을 내려놓지 못하고 여전히 주인을 그리워하는 모습을 보이자 뺨을 세차게 한 대 때렸다. 얼떨떨한 모습을 보이며 말을 잊지 못하자 한숨을 내쉬었다.

"다시 안 돌아오니까 정신 차려. 바보야!"

누렁이는 그 말을 듣자 녀석을 향해 짖기 시작했다. 사나운 짖음이 아니었으며 공격하려는 의지 또한 없는 것처럼 발톱과 이빨을 보이지 않았다. 누렁은 알고 있었다. 주인은 자신에게 돌아오지 않을 거라는 걸……

짖음은 슬피 우는 소리로 변했고 어떤 말도 건네지 못했다. 짙은 어둠이 걷히고, 회색 구름과 풍경들이 드러나자 둘은 다시 말을 건넸다.

"난, 부모님 사는 곳을 알고 있으니까 전 주인에게 돌아 갈래."

"어딘지 알아?"

"응. 여기서 얼마 안 걸리는 곳이야."

"그럼, 넌?"

녀석은 자신을 받아달라는 무언의 눈빛을 보내고 있었다. 하지만 무리는 그가 먼저 도와달라는 말을 건넨 것처럼 말을 내뱉길 기다렸다. 몇 번의 한숨 소리가 들려왔고 숨을 크게 들이마시다 내뱉더니 작은 목소리로 말을 건넸다.

"저기… 너희 무리에 들어가고 싶어. 나 받아주면 안 될까?"

원하는 말이 귓가에 닿자 망설임 없이 녀석을 받아주었다. 서로를 향해 통성명을 주고받자 녀석의 이름은 귓가에 닿았다.

"난, 코코라고 해. 잘 부탁해."

'주황색 가로등 불빛'이 사라지고 반쯤 헐린 2층 폐가 위로 햇살이 드리워지자 누렁이와 작별을 고하며 벗어났다. 처음으로 구역이 아닌 넓은 세상을 향해 첫발을 내디뎠으며 앞으로 다가올 폭풍우를 알지 못한 채 미소를 품으며 발걸음을 향했다.

제**3**화 부딪히다

하늘의 해님과 달님이 몇 차례 지나쳤다. 첫발을 내디딘 이후로 줄곧 폐가 단지로 향했으며 협동심과 끈끈함은 전보다 더욱더 발전해 나갔다. 하지만 독립할 시기가 다가오자 걱정과 근심은 말과 행동에서 드러나기 시작했다.

"우리 폐가 말고 근방에서 정해보는 게 어때?"

"뭐라고?"

한 명의 내뱉음은 부모의 곁에서 이탈하고 싶지 않은 속마음을 내비쳤다. 그러자 민호는 깊은 고뇌와 표정엔 혼란스러워하는 고통 섞인 작은 속삭임이 들려왔다.

"독립의 의미가 없는데 애들 말대로 다른 곳을 알아봐야 하나, 어떻게 하지……."

작은 속삭임은 고통이 되어 머물더니 몸과 마음을 조금씩 조각내기 시작했다. 그는 이겨 낼 거라는 것을 의심하지 않았지만, 한동안의 발걸음은 멈출 수밖에 없었다. 아무런 움직임 없이 한곳에 머물거나 부모의 곁을 따라다니자 어른들은 무리를 모아 놓고는 말을 건넸다.

"너희 지금 뭐 하는 거야? 이제 얼마 안 남았는데 집 안에만 처박혀 있어? 설마 아직도 못 구한 거야?"

서로의 눈치를 보며 입술을 떼지 못하자 막내 지민은 앞발을 '번쩍' 들더니 입술을 뗐다.

"다리 건넛마을로 갈 거예요! 근데 형이랑 누나들이 근처로 알아보면 안 되냐고 해서 민호 형이 고민이 많은가 봐요."

상황을 인지하자 어른들은 민호에게 다가와 한 명씩 그루밍을 해주었고 곧, 그의 어머니가 앞에 서며 오른쪽부터 왼쪽까지 한번 '쪽' 훑더니 조심스레 입술을 뗐다.

"고민이 많을 거라 생각은 했어. 엄마랑 아빠들도 다들 그런 경험이 있단다. 알다시피 재작년에 나간 너희 형이랑 누나 혹은 언니, 오빠들도 비슷한 상황을 겪었고, 다만 리더를 정한만큼 믿어주고 따라주면 안 될까? 우리는 여기에서 터를 잡았으니까 언제든지 다리 하나만 건너면 만나러 올 수 있잖아. 두렵고 무섭고 잠도 안 오고 그러겠지. 그리고 떨어지고 난 후로는 굉장히 그리울 거야. 근데 우린 너희를 믿고 충분히 부딪히며 살아갈 역량이 된다고 생각해. 이젠 스스로 이겨 내 봐. 조언이 필요할 때면 언제든지 오고, 항상 너희 편이란다."

민호 어머니의 입술이 닫히자 얼굴 전체에 그림자가 드리웠던 녀석들의 얼굴엔 강한 의지력이 표출되었으며 기분 좋은 숨소리가 귓가에 닿았다. 중년 남성과 여성이 시야에서 사라지자 전과 같이 한곳에 모여 민호가 오기만을 기다렸다. 전보다 힘 있는 발걸음과 강한 의지력은 표정에서 드러났으며 어떤 말을 내뱉을지 모두의 시선은 그에게 향했다. 그러자 눈빛이 부담스러웠는지 앞발로 얼굴을 두세 번 세수하듯 손짓하더니 옅은 미소를 보이며 입술을 뗐다.

"혹시라도 아직도 두려운 마음이 있다면 다른 곳 알아 볼게."

그러자 코코가 말을 건넸다.

"난, 민호 널 믿어!"

서로는 말없이 고개를 끄덕였고 흥이 넘쳐나는 지민은 또다시 환호성을 질렀다. 그러자 리더의 뒤를 따라 다리를 건너 폐가가 밀집한 곳으로 도착했다. 익숙한 냄새와 함께 인기척이 느껴졌고 잠시 몸을 숨겼다. 숨죽이며 지나가기만을 원했고, 길가로 시선을 고정하자 그림자는 한 명이 아닌 무리였다. 그들은 전에 봤던 벵갈 녀석들이었으며 사나운 발톱과 이빨의 위용을 드러내며 곳곳을 휘젓고 있는 듯 보였다. 점차 사라진 발소리에 서로의 눈을 바라봤다. 겁에 질린 녀석부터 싸우려는 의지를 보이는 녀석까지 표정은 다양했고 그의 망설임은 커졌다. 방향을 또 잃으려 하자 모두를 향해 아름은 말을 내뱉었다.

"싸우기 싫다면 저들과 대화를 나누면 되고 싸워야 한다면 우리만의 방식으로 저들을 이기면 돼."

입술을 닫자 전과 같은 의지와 행동을 이어가지 못했다. 혼란스러운 감정과 걷잡을 수 없는 두려움 속 어떠한 위로도 닿질 못했다. 그러자 그는 풀 죽은듯한 모습을 보이며 나무 바닥에 몸을 맡겼다.

서서히 감긴 눈과 동시에 숨을 크게 들이쉬다 내뱉었고 속삭이듯 모두를 향해 말을 건넸다.

"잠시만 우리 자자."

"그래."

"자고 일어나서 이야기하자."

바늘로 '콕콕' 찌르는 듯한 두통은 가시질 않았고 머릿속 한구석에 자리를 잡아 해님의 모습이 보이기 전까지 괴롭혔다. 눈을 뜨자 희미하게 귓가를 자극하는 소리가 귓가에 닿았다. 공원에서 들려오는 종소리였으며 시간은 오전 8시를 알렸다. 홀로 집 밖으로 나와 하늘을 바라보니 옅은 회색 구름은 해님을 집어삼켜 밝은 이미지를 주지 않았고 곁을 스쳐 지나치는 바람은 살갗을 벨 만큼 날카로웠다. 꽤 사나운 빗방울이 떨어질 것만 같았고 꿈나라에서 빠져나오라며 한 명씩 볼과 얼굴을 비벼댔다. 잠을 설친 것처럼 피로가 몸과 얼굴에 드러났으며 바삐 보금자리로 향했다. 역시나 다리를 건너자 사람들의 모습이 시선에 잡히기 시작했고 한 손엔 검은 우산과 회색의 우산이 들려 있었다. 또다시 약속을 잡은 채 흩어졌고 부모와 눈이 마주치자 걱정스러운 눈빛을 보이며 말을 건넸다.

"아름아 무슨 일 있었니?"

"네?"

"얼굴색이 많이 안 좋아서 그래. 누가 뭐라고 했어?"

"뭐? 누가 우리 아름이한테 뭐라고 해. 아직도 네 털 가지고 욕해?"

"아니요. 그게 아니고요…….”

망설이며 또다시 입을 붙었다 뗐다를 반복하자 답답했는지 아버지는 말을 내뱉었다.

"속 시원하게 말해. 아빠랑 엄마가 들어줄게."

"그래, 아름아. 무슨 걱정 있어?"

"하아… 사실 저희 보금자리에 다른 녀석들이 들어왔어요."

"그럴 수도 있지. 근데 그게 왜?"

"저번에 애들 공격했던 벵갈 녀석들이었어요."

"뭐? 그래서 녀석들이 뭐라고 했어? 아니면 때렸어?"

"저희가 피했어요. 민호는 아마 지켜보자는 뜻인 거 같은데, 애들은 또 양쪽으로 갈라졌어요."

"왜 갈라져?"

"그러게. 싸운 것도 아니고 시비가 붙은 것도 아니고."

"좋은 감정이 없는데 모습을 보이기도 그렇고 또 당했던 기억이 있으니까 두려운 가 봐요."

옆에서 이야기를 듣고 있던 어머니는 주변의 풍경 속 어느 한 곳을 바라보더니 곧, 입술을 뗐다.

"여보."

"당신 무슨 할 말 있어?"

"애들한테 조언해주지 맙시다."

"무슨 소리야 그게? 어리니까 조금 더 들……."

"더 들어줄 거 없어. 부딪혀봐야지. 몇 살인데 계속 들어줘. 이제 며칠 안 남았어. 애들 독립시키는 거, 당신도 맘 굳게 먹어."

어머니의 간결하면서 굳은 결심이 묻어 나오자 아버지 또한 더는 말을 건네지 않았다. 어머니의 의견에 동의하셨는지 고개를 '끄덕' 거렸고 고민이 깊어질수록 땅에 몸을 맡기거나 혹은 벽에 기대며 두 의견의 대립을 머릿속에서 마주 봐야 했다.

'민호 말대로 해도 된다니까, 너무 걱정이 하지 마.'

'아니야. 그러다가 녀석들이 공격하고 너한테 욕설해대면 어떻게 하려고? 피하는 게 상책이야.'

'누구보다 강해졌어. 웬만한 욕설에도 쓰러지지도 않고 눈물도 보이지 않잖아. 의지를 애들에게 보여주면 돼.'

'의지? 의지라는 것도 서로 간 신뢰가 있어야 가능한 거야. 벵갈 녀석들 너도 봐서 알잖아. 차별주의자에 폭력적인 애들이야. 피해. 피해야 해!'

'언제까지 피할래? 그동안 피해 왔잖아. 이젠 부모님이 곁에 안 계셔. 스스로 해결해야 해. 한 번의 산만 넘으면 돼.'

'과연 한 번일까? 저 녀석 말 믿지 마.'

'또 있다면 그 산을 넘으면 되고 그러면서 너흰 단련될 거야. 너도 민호도 지민이도 코코도.'

끝이 안 보이는 다툼은 꿈에서마저 나타났으며 어떤 방향이 좋을지 쉽사리 결론을 낼 수 없었다. 어디선가 느껴지는 인기척에 눈을 떴고 고개를 향하자 민호의 모습이 보였다. 얼굴엔 웃음기 하나 없었고 발걸음은 무거워 보였다. 금방이라도 지쳐 쓰러질 정도의 피로와 압박감은 살갗까지 닿았다.

"안녕하세요."

"민호 왔구나. 아름이 보러 왔어?"

"네? 아… 네."

"아름이 좋겠네. 잘생긴 남자친구도 있고."

"치, 아빠 놀리지 마세요. 심각하단 말이에요."

"왜? 엄마도 그렇게 보이는데."

"아니거든요. 다녀올게요."

인사를 건네며 민호는 뒷모습만을 보였다. 곁에 다가가자 얼굴은 빨개져 있었고 부끄러웠는지 연신 가녀린 울음소리가 귓가를 자극했다.

'야옹. 야옹.'

처음 보는 빨개진 볼에 절로 웃음이 터졌고 민호는 한 번씩 시선을 향할 뿐 옅은 미소를 머금었다. 인적이 드문 곳으로 발걸음을 향하자 색이 바랜 것처럼 날카로워 보이는 이파리들과 갈색의 솔방울이 떨어져 있었고 곧, 움직이던 발을 멈춰 서자 풀밭에 몸을 맡겼다. 민호는 얼굴을 마주 보며 한숨을 내쉬더니 말을 건넸다.

"어떻게 해야 해?"

"뭐를?"

"다른 곳을 찾아봐야 할까? 우리 독립하는 날 얼마 안 남았는데."

"넌 어떻게 하고 싶은데?"

결정을 내린 것처럼 보였지만 쉽사리 입 밖으로 말을 내뱉지 못했다. 그러자 민호의 배에 앞발을 살며시 올려놓으며 따뜻한 온기를 전해주었고 괜찮다는 표정을 보이며 고개를 끄덕거리자 자물쇠처럼 굳게 닫혀 있던 혀와 이가 시선에 잡혔다.

"더 좋은 곳을 알기 전까진 거기에 머무르고 싶어."

"그러면 정해졌네."

"응?"

"네가 리더잖아. 하고 싶은대로 하면 돼."

"애들 의견도 중요하잖아. 혹시라도……."

"혹시라도 뭐? 누가 떠날까 봐? 그럴 일은 없을 거 같은데."

"어떻게 확신을 해?"

"모르겠네. 왠지 다들 곁에 있을 거 같아서."

"하아… 그럴까?"

"너만 확실하게 결정하면 돼. 부모님이 뭐라고 말씀 안 하셨어?"

"너희 일이니까 이젠 너희가 알아서 하라고 하셨어. 넌?"

"똑같지. 뭐……."

"근데 부모님 말씀이 맞는 거 같아. 우선 경험해보고 또 그때 가서 결정하면 되지 않을까?"

"만약 오늘 벵갈 녀석들 만나면 피하지 말고 대화 나눠보자."

"이래서 네가 좋아. 멋있어!"

"응? 음… 고마워."

"바보……."

마음을 확실히 정하지도 고민이 말끔히 사라진 것도 아니었지만 자신의 이야기를 들어줬다는 생각에 민호의 발걸음은 전과 달리 가벼워 보였다. 풀 죽은 모습은 사라졌으며 바삐 발걸음을 재촉했다. 회색 구름의 하늘에서 무언가 땅에 떨어졌다. 한 방울 한 방울 떨어지기 시작한 폭우는 곧, 요란한 소리를 선사했다.

'뚝… 뚝… 화아아… 통…….'

세차게 퍼붓는 폭우는 모든 곳을 집어삼키려는 듯이 시야를 가리웠으며 부모의 곁에 다다르자 울음소리로 위치를 알렸다. 몸은 '흠뻑' 젖어 만신창이가 되었지만, 기분은 그리 나쁘지만은 않았다. 비는 내리다 말기를 반복했고 약속 시각이 다가오자 중년 남성과 여성은 먼저 자리를 떴다. 하지만 근처를 지나치는 익숙한 냄새와 인기척은 맴돌지 않았으며 한참이 지난 후에야 황급히 지민은 다가와 말을 건넸다.

"누나! 어서 가자."

"근데 왜 다들 안 지나가지?"

"민호 형이 데리러 오는데 안 오길래 누나한테 바로 왔어."

"그래? 무슨 일 있나……."

"먼저 약속 장소로 가면 알겠지."

"네 말이 맞네. 가자."

얇디얇은 빗방울은 나뭇잎 가장자리에 맺혀 땅으로 떨어지는가 하면 품은 빗방울 안에는 작은 풍경들이 담겨 있었다. 어느 하나 품지 못한 나무들은 빗물을 깊이 박힌 뿌리로 흘러 보냈으며 커다란 웅덩이에는 회색 구름이 아닌 짙은 검은 구름이 담겨 있었다. 역시나 민호의 모습이 보이지 않았고 다들 발을 '동동' 굴리며 초조함을 드러나자 중앙으로 몸을 움직였다.

"민호가 안 보여. 그래서 그러는데 두 명만 여기에 남고 나머지 인원은 어제 거기로 가는 거 어때? 두 명도 달이 보이기 시작하면 항상 머물던 곳으로 오고."

그러자 그동안 보지 못했던 수군거림이 일어났으며 도저히 사태가 진정되지 않자 코코가 앞발을 땅으로 내리꽂으며 말을 내뱉었다.

"조용! 시끄러워 죽겠네, 진짜. 너희 정 무서우면 나랑 아름이랑 지민이 이렇게 셋이 다녀올 테니까 너흰 여기에 있어."

코코는 고의적으로 자존심을 긁으며 반응을 유도했고 수군거림이 사라짐과 동시에 일자 눈을 보이더니 말을 내뱉었다.

"뭐? 겁쟁이 아니거든!"

"맞아. 불쌍해서 구해줬더니 우리한테 뭐라고?"

"야, 됐어. 얼마나 용감한지 코코에게 보여주자."

"벵갈 녀석들하고 용맹하게 싸웠던 고양이들이야!"

"가자. 아름아 앞장서!"

코코와 눈이 마주치자 윙크로 감정을 드러내며 자리로 돌아갔다. 그러자 지민의 흥얼거림이 시작되었고 곧장 보금자리를 향해 달려갔다. 땅에 비가 적셔진 탓에, 발과 배엔 흙탕물이 튀었으며 분홍털은 조금의 모습만을 보인 채 모습을 감췄다. 짙은 검은색과 갈색의 무늬는 이질감이 느껴질 정도로 익숙하지 않았고 여전히 노란 눈동자는 주눅 들게 하기에 충분했다. 모처럼 가슴은 요동쳤고 심장 박동 소리는 다른 이들의 귓가에 닿았다. 그러자 한쪽 입꼬리를 올리며 '썩소'를 보이더니 우두머리로 보이는 녀석은 다가와 말을 내뱉었다.

"용감한 녀석이군. 여기 우두머리가 누구지?"

고개를 좌우로 돌아볼 뿐 어떠한 말도 건네지 않자 가소롭다는 눈빛을 보내며 뒷모습을 보였다. 그러자 아름은 말을 내뱉었다.

"우두머리 여기 있는데 어딜 가! 아직 말도 안 꺼냈는데."

그러자 녀석은 황급히 뒤로 돌아 발톱을 보이며 달려왔다. 금방이라도 때릴 것처럼 달려왔으나 자리에서 움직이지 않은 채 맞섰다. 발톱이 턱 밑까지 들이댔으나, 눈 하나 깜박이지 않고 뚫어지게 바라보자 흡족한 듯 말을 건넸다.

"네가 분홍 고양이 아름이 맞지?"

"어떻게 알고 있죠? 한 번도 이름을 말한 적이 없었는데."

"당연히 알고 있지. 지금 보니까, 분홍색이 전혀 안 보이는데? 그렇게 네 털 색깔이 부끄럽고 민망하면 여기에 나타나지 말아야지. 다들 널, 수치로 여기는데 말이야."

깨진 유리창에 비친 모습을 보자 분홍 털은 모습을 감췄으며 검은

색과 갈색의 어울림이 묻어나 있었다. 그러자 그들을 향해 기다리라며 말을 건넸고 웅덩이로 다가가 흙탕물을 씻어냈으며 빨간 고무대야에 채워진 빗물에 들어가자 '흠뻑' 젖은 분홍 털이 드러났다.

"하나도 안 부끄러워. 너희처럼 멍청하고 인정 따위 없는 개념 없는 애들하고는 상종하고 싶지 않아."

"뭐라고? 너 따위가 우리를 모욕하는 거냐!"

"죽여! 자비가 없음을 보여주는 거야!"

"맘대로 해. 여기에서 절대로 움직이지 않을 테니까, 폭력으로 힘을 과시하고 싶으면 얼마든지 해봐!"

심장 박동은 점점 증폭되어 어지러움이 동반되었다. 하지만 걱정과 두려움은 말을 내뱉음으로써 곁에 머물지 않았으며 오히려 자신감이 배가 되어 확고한 의지를 보였다. 그러자 녀석은 무언가가 떠올랐는지 손가락을 가리키며 말을 건넸다.

"감성적이긴, 마치 네가 하는 말이 이상적이고 나아가야 하는 방향이라고 말하는 거 같은데, 과연 저 모습을 보고도 그럴까?"

"뭐?"

"야, 데리고 와."

여럿이 파란 플라스틱 통을 밀며 영화의 슬로우 모션처럼 다가왔다. 안에 있는 무언가를 보더니 지켜보던 애들은 빗소리와 섞여 슬피 우는 소리를 내뿜었으며 익숙한 냄새와 피 냄새가 코끝을 자극했다. 앞에 멈춰 서자 피투성이가 된 민호가 시선에 잡혔다.

"민… 민호야!"

이성적인 판단의 끈을 놓아버린 애들은 벵갈 녀석을 향해 발톱을 드러냈으며 갈고 닦은 이빨을 선보였다. 항상 뒤에 붙어 눈을 피하 던 지민마저 살기서린 눈매와 함께 걷잡을 수 없는 분노가 주위를 휘감았다. 전과 다른 모습으로 한 발짝 다가서자 서로의 얼굴을 바 라보며 피하지 않았고 일촉즉발의 상황 속 나지막한 목소리가 귓가 에 닿자 모두의 시선과 귀는 한곳을 향했다.

"안 돼. 싸우… 지… 마……."

민호의 말에 간결하면서 단호한 말들이 쏟아졌다.

"괜찮아. 얼마 전 우리가 아니라고!"

"부모님이 항상 말씀하셨어. 진 빚은 꼭 갚게 해줘야 한다고."

"맞아. 당하기만 하면 호구로 본다고 하셨지. 이제 저들에게 똑같이 되돌려줘야 해."

감정의 절제를 잃어버린 탓에 쉽사리 진정될 수 없었다. 그러자 민호는 다시 한번 힘겹게 입술을 떼며 말을 건넸다.

"아니야. 폭력으로 되돌려줄 필요는 없어. 우리만의 방식으로 나아가면 돼. 그러니까 애들아… 내 말 들어."

"아름아 네가 정해. 어떻게 했으면 좋겠어?"

"맞아. 우리 데리고 온 거 너잖아. 민호의 몰골이 말이 아닌데도 넌, 어떻게 지켜보기 만해!"

그러자 뒤에 머물던 코코가 곁으로 다가오더니 앞발로 등을 토닥여주자 곧, 무언의 눈빛을 보냈으며 무슨 말로든 휘몰아치는 거센 빗바람을 피해야만 했다.

"하나만 물어볼 게 있어."

벵갈은 기가 죽은 탓에 고개를 숙인 채 바라볼 뿐이었고 말을 건네자 떨리는 목소리로 말을 내뱉었다.

"뭔… 데?"

"아직도 털이 다르면 어울리지 못한다고 생각해?"

자칫 말 실수 한번에 걷잡을 수 없는 일이 벌어질 것을 알고 있었다. 하지만 자존심을 굽히면 안 된다는 헛된 생각 통에 쉽사리 입술을 떼지 못했고 다시 한번 말을 건넸다.

"마지막이야. 털이 다르면 친구가 될 수 없는 거야? 어울리지도 못하고? 잘 봐. 너희는 여기에 사는 애들이랑 달라. 우리가 이방인이 아니라 너희가 이방인이고 차별한 게 아니라 우월한 민족성과 인종이라며 시대를 따라가지 못한 가치관과 신념 때문에 여기까지 오게된 거야. 근데 뭐? 수치라고? 수치는 내가 아니라 바로 네가 수치야. 이 멍청한 새끼야!"

말을 쏘아붙이자 녀석은 검은 코를 킁킁거릴 뿐 어떠한 말과 행동을 취하지 못했다. 그러자 지켜보던 그림자의 감정이 누그러뜨려지자 이성적인 판단을 하기 시작했고 약속 장소에 기다렸던 녀석들은 민호의 모습을 보고는 곧장 부모의 곁으로 데리고 사라졌다. 긴 적막감속 대치는 지속되었으나 그것을 깬 것은 다시 쏟아지는 빗소리였다. 어떠한 말도 듣지 못한 채 비가 내림과 동시에 멀어져 갔으며 냄새와 그림자마저 느껴지지 않자 '털썩' 쓰러지며 눈을 감았다.

"아름아!"

"누나!"

밝은 무언가 아른거렸고 숨을 내뱉으며 살며시 눈을 뜨자 걱정스러운 눈빛의 부모의 얼굴이 보였다. 고개를 돌려 사방을 둘러보자 애들의 모습은 보이지 않았으며 낮임에도 불구하고 새들의 지저귀는 소리마저 귓가에 닿지 않았다. 맛있는 생선 냄새가 코끝을 간지럽피웠고 아버지는 앞에 내려놓으며 말을 건넸다.

"지금에서야 일어났네. 다행이야."

"저 얼마나 누워 있었어요? 하루밖에 안 됐죠?"

"아니, 3일 동안 누워 있었단다. 비를 맞으면 어떻게 해."

"진짜요? 우리 이제 떠나는 날이잖아요."

"맞아. 홀로 서기 하는 날이지."

"아… 조금 더 빨리, 더 빨리 눈 뜰걸……."

"왜? 다시는 못 만날까 봐?"

"네… 오빠도 안 오잖아요."

"오빠가 왜 안 와? 네 소식 듣고 금세 달려왔어."

"진짜요!"

"응. 방금까지 있다가 갔는데."

"치… 조금 더 있다 가지……."

"보고 싶으면 언제든지 와. 항상 엄마랑 아빠가 있을 거니까."

"네! 근데 민호는 어떻게 됐어요? 아직도 못 움직여요?"

"민호는 몸이 다 나아지면 가기로 했어. 아직은 움직이는 게 힘들 거야. 당분간은 아름이 네가 리더 맡기로 했단다."

"네? 제가요? 저는 피부도 다르고 말도 못 하고, 싸움도 못 하는걸요."

"어른들이 결정한 게 아니야. 너희들이 직접 결정한 거란다."

"네? 우리가요?"

"그럼. 이젠 너희들이 다 큰 것만 같아서 너무 좋아. 어떤 일들이 있든 지금처럼만 서로를 의지하렴. 잘할 수 있지?"

"네. 걱정하지 마세요. 항상 들려주셨던 것처럼 부딪혀볼게요."

"그래. 조금 더 자고 준비하자."

"네!"

빈자리를 채웠다는 생각에 미안함과 함께 근심은 얼굴로 그림자를 드리웠다. 혼자가 아닌 누군가를 책임져야 한다는 부담감은 육체와 정신을 짓누르기에 충분했고 무거운 발걸음은 민호의 곁으로 향했다. 발을 비롯해 상처가 난 곳을 핥던 그의 어머니와 눈이 마주치자 곧, 입술을 뗐다.

"아름이, 민호 보러 왔구나."

"안녕하세요."

"인사성도 밝아. 조금 전에 다시 잠들었어."

"정말요? 지켜보다가 갈게요."

"그럴래?"

"네."

"저기… 아름아."

"네?"

"민호 데리고 와줘서 고마워. 너라면 충분히 리더가 될 자격이 있
단다. 어른들이 너에게 못된 시선과 못된 말을 내뱉었던 거 다시
한번 미안해."

"괜찮아요. 전… 이미 다 용서했는걸요."

환한 미소 뒤에 상처를 숨기자 감정을 읽었는지 아무 말도 건네지
않은 채 고개만을 '끄덕'거렸고 잠시 자리를 떠나자 그를 향해 입
술을 뗐다.

"바보야 빨리 나아서 와야 해. 기다리고 있을게."

귓가에 소리가 닿았는지 감았던 눈을 뜨며 고통스러운 앓는 소리와
함께 입술을 뗐다.

"너라면 충분히… 잘 이끌 수 있을 거야. 금방 갈 테니까 걱정하지
말고 잘 지내. 알았지?"

"응, 알았어. 기다리고 있을게."

다시 눈을 감는 민호의 모습 뒤로 안쓰러운 눈빛을 남기며 모두가
모여 있는 곳으로 향했다. 부모님의 곁을 떠나야만 했고 짧은 포옹
과 그루밍으로 아쉬움을 전하며 발자국을 남긴 채 떠났다. 한 번씩
뒤를 돌아보며 눈을 마주쳤고 코너를 돌자 모습이 사라졌다. 그리
움은 머물러 괴롭히겠지만 끊어지지 않을 인연의 실타래를 믿으며
발걸음은 멈추지 않았다. 다시 찾은 보금자리는 여전히 인기척이라
곤 찾아볼 수 없었고 눈을 주고받으며 짧은 대화를 나누자 곧장 머
물 자리를 향해 이동했다. 울음소리가 들릴 만큼의 거리를 유지했
으며 지낼 곳이 맘이 들었는지 지민은 다가와 볼이 터질 정도로 부
풀리며 입술을 뗐다.

"누나, 엄청 좋은 곳에 자리 잡았어! 심심하면 놀러와도 돼."

"그 정도야? 어디길래 그래?"

"여기에서 한 블록 정도 돼."

"나중에 한번 가볼게. 너흰 어때?"

만족한 표정들을 지으며 대화는 끝이 나질 않았고 대화의 물꼬를 튼 지민은 뭔가를 해냈다는 생각에 반달 입술을 선보이며 감정을 드러냈다. 땅을 적시던 빗방울이 사라지고 잠깐의 소강상태를 보이자 익숙하면서도 낯선 발걸음 소리가 귓가를 자극했다. 경계심을 드러내며 숨겨왔던 발톱과 이빨을 숨기지 않았고 무리의 리더는 앞에 발을 내디뎠다.

"오늘도 역시나 오셨네."

"여긴 우리 구역이니까."

"뭐, 마음대로 하셔. 잠시 너랑 둘이 이야기 좀 하려고 하는데 시간 좀 돼?"

모두의 시선은 고정되었고 괜찮다는 의사를 표현하자 폐가 뒤쪽 담으로 향했다. 그러자 몸을 웅크리며 경계심을 낮추자 곧 말을 건넸다.

"곰곰이 생각해보고 애들이랑 대화 좀 해봤어. 네 말이 맞아. 우린 이방인이고 고유의 털과 무늬에 대한 자부심이 있지. 근데 네가 하나 틀린 게 있어. 아니 모르는 게 있지."

"뭐라고?"

"너희는 다른 털을 가진 녀석들에게 우리처럼 안 대할 자신 있어?"

"너희랑 다르니까."

"오, 그래? 한 번 지켜보겠어. 과연 너희도 그렇게 하는지."

"뭐라고?"

"더는 할 말없고, 나중에 다시 찾아오겠어. 그때도 지금과 같이 행동한다면 떠나줄게."

"아니, 너희가 떠나는 걸 원치 않아."

"말장난이 심하네. 우린 공격했고 모욕감을 줬는데도 그러는 거야?"

"말장난이 아니야. 너흰 너희대로, 우린 우리대로 공존하며 사는 걸 원해. 문제가 생기면 지금처럼 대화로 풀어나가길 원하고."

"이상적이긴, 나중에 봐. 한 번 개개인이 가지고 있는 가치관과 신념을 얼마나 지킬 수 있는지 지켜보겠어."

알 수 없는 말을 지껄이며 뒷모습을 보인 채 곁을 떠나갔다. 찜찜하면서도 복잡미묘한 감정은 생각을 흩트려 놓기에 충분했다. 평화로운 날들이 지속하던 어느 날, 어색한 말과 억양으로 남매가 다가왔다. 호리호리하면서도 날씬한 몸매에 그동안 봐왔던 생김새와 다르게 짧고 가늘었다. 머리는 삼각형에 가까운 형태였으며 목은 비교적 길고 위를 향해 '쫑긋' 세워진 귀가 인상적이었다. 몸 빛깔은 회백색에 주둥이와 앞다리 등은 갈색을 띠었으며 눈은 아름답다 못해 빠져들 정도의 사파이어색을 지니고 있었다. 이전에 벵갈에 당했던 터라 경계심은 극에 달해 있었고 뒤를 조용히 쫓아가 코코는 제압했다. 아무런 저항 없이 다가왔고 떨리는 눈동자와 목소리를 보이며 말을 건넸다.

"안… 녕하… 세요. 만나서 반갑습니다."

어설픈 말투에 이들도 바다 건너온 일행임을 눈치챘다. 그러자 신기한 눈으로 바라보며 한 명씩 질문 세례를 퍼부었다.

"못 보던 녀석들인데, 여기 왜 온 거야? 설마 다른 녀석들이 보낸 거라면 어서 돌아가!"

"아… 니에요! 우리 사람에게 버림받았어. 갈 곳 없다."

"근데 어디에서 온 거야? 말투가 이쪽이 아닌데?"

"바다 건너 태국에서 왔다! 태국 알아?"

"태국? 거기가 어디야."

생김새가 달랐고 냄새 또한 낯설었다. 그러자 몇몇은 드러내지 않던 차별적인 말들로 모욕을 강행했다.

"너희가 있던 곳은 어떤 곳이야?"

"엄청 덥다. 비도 많이 내리고 큰 벌레들도 많이 있다. 다만 사람들 너무 좋다. 되돌아갈 수만 있다면 다시 전에 살던 곳으로 가고 싶다."

"여기로 배 타고 왜 온 지는 알고 있어?"

"안다… 부모님은 더 좋은 곳으로 가길 원했고 길러주던 사람도 이곳으로 보냈다. 하지만 모진 말을 했고 지금은 이렇게 떠돌이가 됐다."

"그래? 우리가 받아준다면 너희 어떻게 할래?"

"받아만 준다면 무슨 일이든 다 할 수 있다! 같이 다닐 수 있게만 해주면 된다."

"알았어. 리더인 아름이랑 대화 나눠보고 알려 줄게. 기다려."

"고맙다. 진짜 고맙다."

표정에는 진심이 섞여 있었다. 하지만 우리의 말에는 이미 차별의 언행이 시작되었고 인지하지 못한 채 점점 나락을 향해 나아갔다.

무리로 받아주지 않았다면, 오히려 오지 않았으면 좋았을 정도로 점차 웃음을 잃어갔다.

"너는 이름이 샴이고 넌 뭐라고?"

"난 셤이야. 셤! 왜 자꾸 이름을 물어보고 그래."

"뭐라고? 받아줬으면 고마운 줄 알아야지. 빨리 여기 뒤처리 안해!"

"알았다, 알았어. 한다……."

당했던 것보다 더 심한 차별과 말이 귓가를 자극했으며 그저 남매를 하나의 도구로 이용할 뿐이었다. 스트레스를 풀기 위한 장난감 정도로 여겼으며 강조해왔던 다름과 인정은 멀어져갔다. 그러던 어느 날, 코코는 원한 음식을 가져오지 못한 샴 고양이 남매에게 발길질과 돌멩이를 던지며 야단쳤고 눈엔 참아왔던 눈물이 볼을 타고 땅을 적셨다. 구슬픈 울음소리가 귓가에 닿았지만, 누구 하나 발걸음을 움직이지 않았으며 말리는 모습 또한 맴돌지 않았다. 울음소리를 듣고는 파란 털을 지닌 부모의 또래 아저씨가 코코를 향해 달려가 날카로운 발톱으로 목을 겨눴다. 그러자 놀라 자빠지며 뒷걸음을 쳤으며 다급한 목소리에 모두 몸을 움직였다. 머릿속을 스쳐 지나치는 기억, 분명 저건 부모님이 말한 토로 아저씨가 분명했다.

"저기 토로 아저씨 맞죠?"

*

자신의 이름이 낯선 이의 입술에서 나오자 그는 한 번 훑어보더니 단호한 말투로 말을 내뱉었다.

"넌 누구지? 네가 어떻게 내 이름을 아는 거지?"

"저 아름이에요! 분홍 고양이 아름이요!"

"아름이? 너 설마!"

"부모님에게 아저씨 말 많이 들었어요. 아저씨 이리 오세요. 듣고 싶은 이야기가 엄청 많아요!"

하지만 토로 아저씨는 일자 눈이 된 표정을 유지하며 오히려 억양이 높아졌다.

"네가 어떻게 이런 행동을 하니? 내가 알고 있는 너희 부모는 절대로 이런 행동을 가르친 적이 없을 텐데!"

"아저씨 왜 그러세요……."

"지금 딱 보니 친구들의 자식들이구나. 하지만 너희는 너희 부모의 가치관과 신념을 물려받지 못한 모양이구나. 한심하기 짝이 없어. 너희!"

"아름아, 저 아저씨가 누구길래 저런 말을 하는 걸 놔둬! 언제든지 공격할 자신 있어."

"맞아. 한 번만 치욕적인 말을 한다면 갈고 닦은 이빨을 보여주겠어."

"그만! 그만!"

"저 아저씨가 바로 부모님께서 영웅이라고 말씀하셨던 토로 아저씨야."

"진짜로 토로 아저씨 맞아?"

그러자 지민은 무슨 상황인지 몰라 어리둥절한 표정을 지으며 발을 살짝 빼 지켜봤으며 코코는 들어본 적이 있는지 입술을 '파르르' 떨며 곁으로 다가왔다. 토로 아저씨는 다가오더니 땅에 몸을 맡겼다. 적대적인 의사가 없음을 표시하자 눈을 마주치며 입술이 떨어지길 기다렸다.

"적어도 아름이 넌, 방관자가 됐으면 안 됐어. 알고 있니?"

"방관자라니요? 제가 뭐를 했다고 그런 말을 하시는 거죠?"

"샴 고양이 남매에게 대체 무슨 짓을 하는 거니, 너희!"

"저희가 뭐를……."

"맞아요. 무리로 받아주고 맡은 역할을 하라고 한 건데."

"발길질하고 돌멩이 던지고, 다르다고 상처 주는 행동과 말을 일삼는 게 잘한 일이라고 생각하는 거야? 지금!"

토로 아저씨의 말이 귓가를 자극하자 벵갈 녀석의 말이 머릿속을 강하게 스쳐 지나갔다. 비로소 그가 했던 의미를 알 수 있었고 그들의 행동과 닮아 있었다. 의도치 않은 혹은 의도한, 모든 언행에 드러내지 않던 악마보다 더 심한 습성들이 표출되었다. 몇몇은 아직도 이해하지 못한 채 떨떠름한 표정을 지었지만, 대부분의 표정에선 잘못되었음을 인지한 탓에 누구 하나 섣불리 입술을 떼지 못했다. 그러자 샴과 셤이는 속에 꽁꽁 숨겨왔던 속앓이를 입 밖으로 울부짖었다.

"우린… 우린 너희가 친구라고 생각했다. 다른 무리는 우리에게 꺼지라며 욕을 하고 냄새 난다고 돌멩이를 던졌다. 근데… 너흰 우릴 받아줘서 좋은 친구들이라고 생각했다… 하지만 너흰 악랄했고 독했으며 그들보다 더 무서운 녀석들이다! 진짜 너무하다. 정말 너무하다. 집에 가고 싶다. 배 타고 다시 고향으로 돌아가고 싶다!"

"오빠랑 내가 무엇을 그렇게 잘못했는데, 왜 우릴 그렇게 부려 먹고 정당한 권리를 주지 않았는데, 너흰 양아치도 아닌 쓰레기들이야!"

떨어지는 눈물 속 어떠한 말도 건네지 못했다. 행했던 언행이었고 침묵 속에는 지난날의 반성과 깨달음이 담겨 있었다. 땅을 적시던 빗방울은 눈물을 흘리는 둘에게 울음소리를 숨기려는 듯 얇디얇은 빗방울에도 소리가 묻힐 정도의 소음이 발생했고 둘은 빗물인지 눈물인지 모를 정도로 고개를 '푹' 숙인 채 아무런 말도 더는 건네지 않았다. 그러자 막내인 지민은 홀로 빗속을 거닐며 다가가 말을 건넸다.

"미안해요. 형… 누나, 정말로 미안해요…….."

한 명의 용기가 심장 박동을 뛰게 만들었고 한 명의 내딛음이 멸시와 용서의 갈림길에서 방향을 잡아 주었다. 한 명 한 명 다가가 둘에게 진심으로 미안함을 고했고 몇몇은 잘못을 사죄하며 본인의 눈물을 둘에 얼굴과 볼에 묻히며 마음을 표했다. 천천히 내딛는 발걸음 속 둘은 숙였던 고개를 들며 눈을 마주쳤다. 한숨이 아닌 둘의 발과 얼굴을 시작으로 배를 훑으며 애정을 표했고 고개를 숙이며 말을 건넸다.

"리더로서 사죄할게. 당했던 상처를 둘에게 풀려고 한 거 같아. 아니, 했다는 게 맞아. 정말 미안해. 할 수 있는 말이라곤 이 말밖에 없어. 근데 너희에게 부탁하고 싶은 게 있어."

부탁이라는 말에 둘은 의아한 눈빛으로 바라봤으며 말을 건네자 또다시 눈물을 보였다. 계속된 눈물에 토로 아저씨는 다정한 미소를 보였다.

"너희가 상처를 많이 받았구나. 이젠 너희 선택이 남았어. 도저히 안 되겠으면 거절해도 되고 애들에게 기회를 주고 싶다면 승낙하면 돼. 마음이 진정되면 말하렴."

샴 남매의 눈물이 먼저 그치자 토로 아저씨와 눈이 마주쳤다.

"감사합니다. 아저씨라면 어떻게 하겠어요?"

"나라면 저들을 용서해줄 거 같아. 아름이가 말한 걸 승낙 할거고."

"이유가 뭐죠? 상처들이 보잘것없다는 건가요?"

"아니, 전혀. 너희가 받은 상처는 치유되는 데 오랜 시간이 걸릴 거고 어쩌면 문제가 생길 때마다 한 번씩 기억들이 괴롭힐 거란다. 하지만 용서라는 건 사과보다 더 큰 용기가 필요하거든."

"용… 기요?"

"너희에겐 용기가 있어 보이는데, 저들도 단지 보여주기식의 사과가 아닌 진심이 느껴졌어. 적어도 나한테. 너희가 어떻게 느껴졌는지가 가장 중요하지만."

눈물이 멈추지 않던 섬이 마저 더는 볼과 땅을 적시지 않자 샴이는 섬이의 볼을 핥으며 귓가에 속삭였다. 어떤 말들이 오고 갔는지 들을 순 없었지만 둘은 다가오더니 말을 건넸다.

"처음에 맞이해주었던 그때처럼 대해줄 수 있어?"

몇몇은 예상을 하지 못했는지 입을 '쩍' 벌리며 바라볼 뿐이었고 나머지 인원은 둘에게 다가가 그루밍을 보이며 다시 한번 감정을 표출했다. 그러곤 주변을 훑어보자 파란 털을 지닌 토로 아저씨는 모습을 감췄으며 녀석들에게 양해를 구한 뒤 토로 아저씨를 쫓아 달려갔다. 특유의 달콤한 냄새에 멀리 가지 못했음을 알 수 있었고 숨을 헐떡거리며 바삐 움직이자 곧, 꿈속에서 보았던 뒷모습이 시선에 잡혔다.

"아저씨! 잠시만요. 아저씨!"

본인을 부르는 소리에 그는 발걸음을 멈췄다. 처음의 모습과 달리 표정엔 환한 미소가 드러났으며 살며시 앞발로 머리를 쓰다듬어 주더니 입술을 뗐다.

"늦게라도 바른길로 가려는 모습이 참 좋았어. 너흰 부모님에게 잘 교육받았구나."

"궁금한 게 있어요."

"뭐가 궁금해?"

"아저씨는… 어떻게 그런 행동을 하셨던 거에요? 그리고 왜 갑자기 떠나신 거예요? 엄마, 아빠가 많이 그리워하고 궁금해해요!"

멈춘 발걸음에선 혼자만의 무거운 억눌림이 느껴졌으며 드리워진 구름은 머리 위로 머물렀다. 쉽게 입술을 떼지 못한 토로 아저씨는 눈을 지그시 감으며 말 대신 노래를 흥얼거렸다. 처음 듣는 노랫말과 흥얼거림, 낯선 멜로디는 귓가에 닿았다. 끝이 보이지 않던 노랫소리가 사라지자 눈가에 눈물이 고여 있었고 떨리는 목소리로 말을 건넸다.

"내가 그렇게 할 수 있었던 건, 이 노래의 영향이 컸단다."

"노래요?"

"응. 이 노래 들어본 적 있니?"

"아니요. 처음 들어봐요……."

"노래에도 엄청난 힘이 있단다. 힘겨워하는 이들에게 위로가 되어 주기도 하고 어떤 이에게는 가치관이 바뀌는 계기가 되기도 한단다. 아저씬 노래를 듣고 흥얼거리며 생각을 했고 그 속에서 어떤 방향이 옳은 것인지 수 없이 생각했어. 꼬리에 꼬리를 물었고 언제 멈출지도 몰랐는데, 어느 날 생각이 정리되었단다."

"우와! 전 아직 그런 생각을 하지도 못했는데, 아니 할 수도 없을 거 같아요……."

"아니야. 네가 조금 전에 보여줬던 모습만으로도 너의 가치관과 신념을 보여 준거란다. 앞으로의 삶 속에서 몇 번이고 부딪힐 거고, 주저앉고 싶은 순간에는 심장을 찌르는 고통을 넘어 쥐어짜는, 한 번도 느껴보지 못한 통증이 찾아올 거야. 그럴 때마다 그동안의 경험들을 생각하렴. 넌, 나보다 더 멋진 경험을 하게 될 거고 그 경험이 한 명 한 명에게 작용을 불러일으킬 거야."

"감사합니다. 포기하지 않고 아저씨 말대로 해볼게요."

"그래. 아름인 역시 다르구나."

"헤. 근데 아저씨 왜 곁을 떠나신 거예요?"

생각을 마쳤는지 토로 아저씨는 다른 모습을 보이며 말을 다시이었다.

"누구나 떠나야 하는 순간이 있어. 순간이 찾아온 거고 난 그 선택을 한 거란다. 하지만 너에게 말하고 싶어. 떠나려고 하지 마. 혼자가 아닌 함께 있는 게 더 도움이 된단다. 다시는 발을 디딜 수가 없거든."

"아저씨도 잘 모르는 게 있네요."

"뭐?"

"부모님들 전부 아저씨가 돌아올 거라고 믿고 있어요. 몇몇은 고양이별로 간 거로 믿는 분들도 있지만요."

묘한 미소를 머금으며 토로 아저씬 추억에 몸을 맡긴 듯 보였다. 끝이 보이지 않는 거리를 거니는 것처럼 느껴졌으며 감았던 눈을 떴을 땐 그리움에 고통스러운 울음소리가 내뱉어졌다.

"아저씨, 언제라도 괜찮으니까 돌아가고 싶으시면 돌아가세요."

"이젠 돌아갈 수 없어. 그리고 아저씨에겐 집사가 생겼단다."

전혀 예상할 수 없었던 말이 귓가에 닿자 눈은 동그랗게 커졌고 입은 자연스레 '쩍' 벌려졌다. 동경했던 사람의 입에서 나온 말은 커다란 충격과 동시에 작은 실망감이 곁에 머물렀다.

"뭘 그렇게 놀라고 해."

"아니, 어떻게 아저씨가 사람이랑 지내실 수 있어요? 전 아저씨가 다른 곳에서 여기에서 했던 것처럼 누군가를 도와주는 것으로 생각하고 있었단 말이에요!"

"아름이 크게 실망했구나?"

"네. 조금요."

"처음으로 다가와 준 게 누구라고 생각해? 너희 부모님? 아니면 가족들? 아저씨에게 다가온 건 지금의 집사야. 가족도 파란 털을 가진 날 매몰차게 버렸고 친구들도 욕과 돌멩이를 던졌어. 아마 너도 그랬을걸?"

"네. 다들 그랬어요."

"처음으로 다가와 준 그에게 다가간 거뿐이야. 집사가 나의 원동력이자 하나밖에 없는 친구였어."

"그랬구나. 전 아저씨가 다른 생각을 가지고 간 줄 알았어요."

"녀석도 참, 지금처럼만 멋지게 자라주렴. 네가 오늘 보여준 행동처럼 아저씨도 너희 부모에게 보여줄게."

"진짜요?"

"약속하마. 이제 참새 녀석들과 비둘기 녀석들이 하루의 아침을 알릴 거야. 푹 쉬고 몸 건강히 잘 지내렴. 안녕."

토로 아저씨는 마지막 말을 끝으로 바삐 자신의 보금자리로 향했다. 거짓말같이 회색 구름은 건물 사이에 모습을 보이기 시작하더니 참새 녀석들의 지저귀는 소리가 들려왔고 다시 돌아간 곳엔 샴 고양이 남매와 어울리며 웃음소리가 귓가에 멈추지 않았다. 살갗을 매섭게 파고들었던 소용돌이를 이겨 낼 수 있었지만, 우아직 떠나지 않은 검은 비구름 떼가 머물고 있음을 직감할 수 있었다.

제4화 머물다

비는 여전히 땅을 적셨고 바삐 움직이는 새들의 움직임 속 꺼져
가는 '주황 가로등 불빛'을 보며 휴식을 취해야 하는 시간이 오고
있음을 알 수 있었다. 한 명씩 피로에 찌든 탓에 감은 눈은 그대로
꿈의 세계로 발을 디뎠다. 지민과 코코는 달리기라도 하듯이 발을
힘차게 움직였으며 코 고는 소리와 이가는 소리는 품에 떠나지 않
고 맴돌았다. 적갈색의 고무대야에는 한동안 걱정 없이 마실 수 있
을 정도의 빗물들이 채워졌고 마을 곳곳에 버리고 간 냉장고에서
허기를 채울 수 있었기에 한동안 벗어나지 않았다. 감기는 눈을

이겨보러 사투를 벌였지만, 무게를 이기지 못하고 끝내 감기고 말았다. 얼마나 지났을까? 익숙한 냄새와 발걸음이 다가오더니 곧 코끝을 간지럼 피우는 냄새에 눈을 떴다. 한 사람이 아닌 무리였고 바로 부모님들의 방문이었다. 자식들이 걱정되고 내심 보고 싶었는지 다가오는 그림자는 바삐 발걸음을 디뎠다. 곧이어 지민은 비몽사몽 한 모습을 보이며 말을 건넸다.

"엄마! 아빠!"

그 모습이 다들 '픽'이나 귀여웠는지 특유의 웃음소리가 귓가를 자극했고 다들 황급히 눈을 뜨며 주변을 훑었다. 보고 싶었던 부모님의 등장에 몇몇은 눈물을 보이며 다가섰고 대부분은 미소와 함께 배를 보이며 애교를 피웠다. 그러자 보이지 않는 민호가 걱정되어 부모님께 말을 건넸다.

"민호는 아직도 아파요?"

"응. 그래도 이젠 조금씩 걷고 있어."

"진짜요? 다행이네요. 얼마나 걱정했는지 몰라요."

"으이구! 민호한테 고백하지 그래."

"그런 거 아니거든요. 치……."

"그래, 알았어. 근데 낯선 얼굴이 있네."

샴 고양이 남매는 한 분 한 분에게 인사를 건네며 얼굴과 이름을 각인시켰고 우려와 다르게 따뜻하게 맞아주었다. 곧이어 지민의 말에 놀람과 동시에 순간 소리가 사라졌다.

"아, 전에 토로 아저씨 왔었어요!"

적막감 속 어떤 말이라도 건네야만 했고 옅은 미소를 선보이며 입술을 뗐다.

"사실이에요. 얼마 전 파란색의 털을 가진 토로 아저씨가 왔었어요."

"진짜야? 토로가 왔었어?"

"어머, 토로는 잘 지내고 있대? 어디에 산대?"

"설마 결혼하고 가족이랑 정착한 거라고 하디?"

곳곳에서 들려오는 질문에 답을 할 수 없었고 지켜보던 아버지는 말을 내뱉었다.

"조용! 한 명씩 한 명씩 물어보자. 우선 아름아 답변해 봐."

"토로 아저씨가 어디에 사는지는 잘 몰라요. 근데, 무리 지어 다니지 않으시고 집사가 생겼다고 하셨어요."

"집사가 생겼다니 무슨 말이야? 사람이랑 같이 산다는 거야? 토로

가?"

"저와 같은 어린 시절을 지내실 때 자기에게 제일 먼저 다가온 게 바로 지금의 집사이고 친구 시래요. 그래서 그곳에서 생활하시고 벗어나지 않으시겠다고 하셨어요."

"누구인지 알아. 그 사람이라면 토로를 지켜줄 거야. 걱정은 안 해도 되겠구나."

조금은 실망한 모습을 보였고 기대하던 말이 쏟아지지 않자 얼굴엔 그림자가 드리워졌다. 그러자 마지막으로 건넸던 말을 내뱉기로 결심했다.

"근데 중요한 이야기가 하나 더 남았어요."

"뭔데? 토로가 뭐 부탁한 거 있어?"

"토로 부탁이라면 얼마든지 도와줄 수 있어."

"맞아, 맞아."

"아저씨가 약속하셨어요. 보러 가시겠다고, 만나러 가시겠대요."

원하는 말이 귓가에 닿자 드리워진 그림자는 순식간에 벗어났으며 환한 미소와 함께 기대에 부푼 모습을 보였다. 부모님도 그간 쌓였던 이야기보따리를 풀어줄 수 있다는 기대감에 숨겨왔던 춤을 선보였다. 잠시 비가 소강상태를 보이자 부모님들은 안부의 말들을 건네며 발길을 재촉했고 곧, 우리는 한데 모여 대화를 나누기 시작했다.

"저번에 벵갈 녀석 온다고 하지 않았어?"

"응. 근데 언제 오는지는 모르겠어."

"걱정이네. 진짜……."

대화를 듣고 있던 샴 고양이 남매는 벵갈이라는 말에 빤히 우리를 바라봤다. 그러자 코코는 무언가를 알고 있는 것처럼 느껴졌는지 섬에게 말을 건넸다.

"섬아 뭐 아는 거 있어?"

그러자 섬이는 입술을 뗐다 붙기를 반복했고 지민은 다가가 볼을 비벼대며 긴장감을 풀어주었다. 계속 말을 뱉지 못하자 답답한 나머지 샴이가 입술을 뗐다.

"우리 거절했던 무리 중에 벵갈 녀석들도 있었어."

"진짜? 녀석들이 혹시 뭐라고 했어?"

"물어버릴 것처럼 다가왔었어. 그리고 이곳 말로 뭐라고 했는데 그건 기억이 안 나. 우리에게 어려운 말이었어."

"맞아. 사투리 같기도 하고 간혹, 이곳 말이 아닌 다른 언어도 들렸어."

"사실 녀석들도 바다 건너왔어."

"진짜? 우리는 몰랐다. 그냥 사투리인 줄 알았다."

"너희도 말 많이 늘어서 다행이야. 조금 더 지내다 보면 더 늘어날테니까 걱정하지 말고 보내. 모르는 거 있으면 말해주고 알았지?"

"알았어. 근데 벵갈들 이상한 말 했다. 생각해보니 우리를 말하는 거 같았어."

"뭐라고 했는지 기억나?"

"응! 자기들 말이 맞을 거라고, 싸우지 않고도 편히 보금자리로 쓸수 있다고 했다."

"그래? 말 해줘서 고마워."

남매의 말이 끝이 나자 코코와 지민은 걱정스러운 눈빛을 보이며 다가와 조심스레 입술을 뗐다. 하지만 직설적으로 건네지 못했고 의미는 계속 겉돌 뿐이었다.

"음… 벵갈들 무슨 생각일까? 우리는 몰라도 한 사람은 알고 있을 거 같은데."

"형아도 그렇게 생각했어? 나도 그래. 한 사람은 그 뜻이 무슨 뜻 인지 알 거 같은데, 모두를 위해 말해줬으면 좋겠어. 그치?"

알면서도 모르겠다는 표정을 지으며 모두에게 눈빛을 보내자 답답 했던 나머지 샴이는 또다시 말을 건넸다.

"바보들아, 그렇게 말하면 아름이가 어떻게 알겠어? 말하기 능력도 없는 야옹이 같으니라고."

"뭐? 너보다 훨씬 낫거든. 발음도 맞춤법도!"

"바보들아 그러면 말을 해! 말을!"

"아름아, 너는 알 거 같아. 벵갈들이 무슨 말 했는지 알려줘."

돌리지 않고 말하는 샴이의 모습에 웃음이 터져 나왔고 그러자 지 켜보던 애들 모두 참을 수 없는 웃음이 새어 나왔다. 남매는 자신 들이 무슨 행동을 했는지 몰라, 혹시나 전처럼 자신들을 모욕하거 나 놀린다고 생각했는지 일자 눈의 무표정을 선보였다. 그러자 코 코는 앞발을 배에 살며시 쓰다듬으며 말을 건넸다.

"으이구! 우리도 그렇게 말할 수 있었어. 근데 아름이가 부담스러 울까 봐 돌려서 말한 거야. 바보야."

멋쩍은 웃음을 보이며 샴 고양이 남매는 머리를 긁적거렸다. 간혹 찾아오는 예상치 못한 웃음에 경계심과 긴장감을 내려놓을 수 있었고 한 번씩 찾아오는 행복을 놓치고 싶지 않았다. 회색 구름은 여전히 모습을 보였지만 빗방울을 쏟지 않았으며 서늘한 바람은 살갗을 스쳐 지나쳤다. 한기는 털을 곤두서게 하는 것은 물론 모든 근육을 경직시키는 것처럼 강하게 존재를 각인시켰다. 다시 찾아오는 어둠에도 주황색 노을은 시선에 잡히지 않았으며 둥지로 돌아가는 새들의 지저귀는 울음소리로 서서히 '주황색 가로등 불빛'은 자신의 위치를 알렸다. 빠른 속도로 지나치는 자동차의 엔진소리와 오토바이 소리, 한 번씩 모습을 비추는 사람의 그림자는 일상의 반복선상에 놓였음을 알렸고 전과 다른 행동을 위해 모두에게 말을 건넸다.

"왠지 벵갈 무리가 오늘 올 거 같아. 그래서 그러는데 반반으로 나눠서 물과 음식을 가져왔으면 좋겠어. 배부르게 먹고 만일의 사태를 준비하자."

"나만 그런 생각을 한 게 아니구나."

고개를 끄덕거리면 반을 나누어 바삐 발걸음을 나섰다. 오랜만에 보금자리를 떠나 몇 개의 블록을 전전했고 수차례 왕복 끝에 음식과 물을 보금자리에 놓였다. 똑같이 배분하며 충족히 배를 채웠으며 입안은 여느 때보다 촉촉했다. 자동차의 전조등을 켜지 않으면 보이지 않을 정도의 어둠이 곁에 다가서자 녀석들은 모습을 드러냈다. 모두 각자의 위치에서 맞이했고 곧, 녀석은 전과 같이 땅에 배를 맡기며 경계심을 낮춰 보였다. 각 무리의 리더 뒤쪽에 몸을 위치시키며 만일의 사태에 대비했다.

"오늘은 왜 왔지? 전에 했던 말은 대체 뭐야?"

"어디 한번 볼까."

한 번 훑더니 샴 고양이 남매를 가리켰다. 그러곤 둘에게 말을 건넸다.

"잘들 지내고 계셨어? 긴말할 필요 없이 너희 이리 와봐."

두려움에 벌벌 떠는 샴과 섬, 땅에 몸을 맡겼던 순간을 뒤로 한 채 몸을 일으켜 세우며 날카로운 발톱과 이를 녀석에게 드러내자 그는 '썩소'를 날리며 다시 말을 건넸다.

"왜 그렇게 못 참으실까. 할 이야기가 있으니까 와 보라는 건데, 내가 전에 너한테 한 이야기 잊었나 본데."

"아니, 잊은 적 없어. 단지 네가 남매에게 건넨 말투가 거슬렸을 뿐

이야."

"아이고 이런, 내가 실수를 했네. 미안하게 됐어. 남매."

역시나 둘을 알고 있었고 긴장감은 점점 증폭되어 스쳐 지나치는 바람을 느낄 수 있을 뿐, 어떠한 소리도 인기척도 전혀 곁에 맴돌지 않았다. 그러자 자신의 예상과 크게 다르지 않았다고 생각이 들었는지 말을 내뱉었다.

"너희는 이곳저곳을 떠돌아도 무리에 받아주지도 않던데, 어떻게 또 녀석들은 받아줬네. 참, 신기해."

"길게 이야기하지 말고 본론만 간단하게 말해."

"이야기 들어보니까 너희도 차별하고 멸시하고 악마도 고개를 절레거릴 정도로 폭력을 일삼았다고 하던데, 우리가 온다고 애들한테 협박한 거야? 이곳을 넘겨주기 싫어서?"

"맞아. 우리 그랬어. 근데 너희처럼 잘못도 인정 안 하고 이해 안 하려 들진 않았어. 아직도 이기적이고 배타적이며 우월주의에 사로잡혀 있네. 바다 건너왔으면 넓은 세상을 경험했을 거 아냐! 시야를 좀 넓히는 게 어때?"

"이게! 누굴 가르치려고 들어!"

"가르치려는 게 아니야. 사실이니까."

"그래? 한 번 물어봐야겠군. 남매!"

"그렇게 부르지 마! 우리 친구야. 샴과 셤이라는 이름이 있어!"

"유난은⋯⋯."

공포에 질려 두 눈을 감으며 중앙에 멈춰 섰다. 지민은 샴과 셤을
향해 괜찮다며 눈웃음을 선보였고 코코는 고개를 끄덕여주며 두려
움과 긴장감에 맞서 싸울 용기를 북돋아 주었다. 무거운 발걸음을
한 발짝 조심스레 내딛자 곧 녀석의 말이 다시 귓가를 자극했다.

"워워, 해치려는 게 아니래도 그러네. 말해봐. 아직도 학대당하지?
비꼬고 차별하고 멸시하고! 거기에 모진 말과 행동까지, 어서 말해
봐. 진실을 이야기해 보래도! 그 정도의 용기는 있잖아."

두 눈을 못 마주치던 셤과 샴, 하지만 주위에 느껴지는 시선과 다
가왔던 손길에 전과 확고한 표정을 보였다. 흐뭇한 미소를 머금으
며 녀석에게 말을 건넸다.

"네가 틀렸어."

"맞아. 너희가 틀린 거야."

귓가에 닿아 버린 말에 집중하던 벵갈 무리는 넋이 나간 표정을 보

였다. 그러자 그는 다시 한번 말을 내뱉었다.

"거짓말! 거짓말! 보고 들은 소리가 있어. 안 되겠군. 잠시 기다려!"

벵갈 무리의 한 녀석이 어디론가 바삐 달려가더니, 익숙한 냄새가 코끝을 간지럼 피웠다. 하지만 그림자만큼은 낯설었고 '주황색 가로등 불빛'에 비친 그림자는 고양이가 아닌 개였다. 한 발짝 내디딘 발걸음엔 코코와 함께 자리를 지켰던 누렁이가 모습을 보였다.

"어? 누렁아!"

"우와! 누렁이다!"

"반가워. 모두."

누렁이의 등장에 코코는 급박한 상황에서도 그에게 다가가 반가움을 표했으며 누렁인 코코를 핥아댔다. 잠시의 냉전은 둘의 모습에 내려놓을 수 있었고 시선을 주변으로 돌릴 수 있었다. 처음 보는 무리의 녀석들과 부모들은 사방을 둘러 자리를 지켰고 많은 그림자와 숨소리는 한 곳을 향해 있었다. 계획이 무엇인지 점차 녀석의 그림이 드러났다.

"누렁아, 어디 한번 네가 본 것을 말해봐. 넌 거짓말 따윈 하지 않잖아."

"그래. 알았어."

그러자 코코는 누렁이를 향해 말을 내뱉었다.

"뭐야? 뭐 하는 거야! 너 설마 녀석이랑 한 패인 가야? 하아악!"

누렁인 코코를 보며 고개를 절레거렸고 시선은 누구도 아닌 그에게 고정한 채 말을 건넸다.

"내가 본 걸 사실 그대로 말할 거야. 거짓말할 생각도 없고 이 녀석들의 편도 아니야."

표정은 침착해 보였고 두려움은 전혀 느껴지지 않다. 그도 그럴 것이 대문 입구엔 떠돌이 개 무리가 있었고 붙어보지 않아도 전체와의 싸움에서도 이길 수 있는 막강한 힘을 가지고 있었다. 벵갈 녀석은 그런 무리를 방패막이로 활용할 셈이었다.

"이제 말할게."

"내가 제일 듣고 싶은 소리가 이제 나오는군."

"처음에 샴과 셤이가 왔을 때부터 고된 일을 부렸고 욕과 돌멩이를 던졌어. 차별을 당하고 살았던 아름이 마저 방관자로 일관했으며 본인이 당했던 차별을 고스란히 이들에게 돌려주었지."

가슴을 '콕' 찌르는 듯한 고통과 죄를 저질렀던 부분들이 머릿속을 스쳐 지나치자 숨은 '턱' 막혔으며 얼굴엔 그날의 감정들이 묻어 나왔다. 그럴수록 녀석들은 작은 소리로 읊조리며 대화를 나누었고 상반된 미소를 품었다.

"하지만 이들은 샴과 섬에게 용서를 구했고 둘 또한 이들을 용서했 어. 이후론 어떠한 차별은 허용되지 않았고 하나의 무리로 스며들 었어."

누렁이의 말에 지켜보던 모든 이들은 앞발을 들어 박수로 감정과 존경심을 표했고 몇몇은 기분 좋은 지 흥얼거렸다.

'아앍우!'

처음 들어보는 개들의 하울링 소리, 벵갈 녀석은 믿지 못하겠다는 표정을 보이더니 곧장 달려 들었다. 하지만 어디선가 파란 털을 지 닌 토로 아저씨는 달려와 날카로운 발톱과 이를 보이며 턱에 고정 했다. 움직이기만 해도 파고들 것이 분명했고 뒷걸음치며 주위에 둘러앉은 이들을 바라보고는 떨리는 목소리로 말을 건넸다.

"우리가 졌다. 약속대로 이곳에서 떠나주지……."

환호성이 쏟아졌고 부둥켜안으며 기쁨을 표했다. 쓸쓸한 악역의 모 습을 보이며 발걸음을 움직였으나 앞을 가로막으며 입술을 뗐다.

"어딜 가세요? 혼자만의 다짐 아니었어요?"

"뭐라고?"

"같이 지내요. 부담스러우면 무리에 합류 안 하셔도 돼요."

"명예를 짓밟지 마! 패자는 떠나는 게 원칙이야! 치욕스러운 자들로 만들지 않았으면 해……."

"아저씨만의 다짐이었잖아요. 제가 승자이니 승자의 말을 따르세요. 이곳에서 같이 살아요."

"……."

"당장에 답변이 어려우시다면 나중에라도 찾아와주세요. 항상 여기에서 머물 거고 기다릴 테니까요."

무리는 떠돌이 생활에 지쳐 보였고 떠나기 싫은 내색이 드러났다. 하지만 리더인 녀석은 깊은 고뇌에 빠진 듯 보였고 말없이 고개를 끄덕이며 사라졌다. 긴 시간 동안 드리웠던 구름이 사라지더니 한동안 보이지 않던 둥근 보름달과 하늘에 수놓은 별들은 영롱한 빛으로 비추어 주었다. 누렁이 녀석과 처음 보는 무리까지 다가오며 말을 건넸다.

"멋있었어. 이곳에선 네가 리더야."

"다른 지역에서 넘어온 무리인데 여기에서 지내도 될까?"

"네. 여기에서 지내도 돼요. 단, 조건이 있어요."

"차별하지 말라는 이야기 아니야?"

"맞아요. 절대로 차별은 안 돼요. 저희가 범했던 실수들 안 하셨으면 해요. 문제가 있거나 저희가 실수를 한다면 언제든지 말해주세요!"

"고마워. 진짜 고마워. 저기 두 블록 2층 폐가에 머물도록 할게."

"네! 즐거운 하루 보내세요."

"아름아, 우리는 세 번째 가로등 앞에 있는 곳에 머물려고 하는데 괜찮겠어? 녀석 중에 곧, 출산하는 백구가 있어서."

"정말요? 축하드려요! 어디든 괜찮으니까 머물어도 돼요."

"고마워. 언제나 너희를 응원할게."

지켜보던 무리는 다가와 보금자리 위치를 공유하며 사라졌다. 그들이 머물 수 있도록 도와주었고 앞으로의 일들을 생각지 않았다. 곧이어, 중년 남성과 여성들은 흡족한 미소를 보이며 다가섰다.

"딸, 멋졌어!"

"우리 딸, 다 컸네. 어쩜 이렇게 말을 잘할까? 누구한테 배운 거야.

그런 말을."

"엄마랑 아빠한테 다 배운 거예요."

"뭐? 딸 많이 사랑해."

"저도요."

"토로야 넌 어떻게 왔어? 사람이랑 같이 산다면서."

"왠지 뭔가 일어날 거 같은 느낌이 들어서 문 좀 열어달라고 했더니 열어주네."

"진짜? 그게 가능해? 말을 알아듣는다고?"

"알아 듣는다기보다 교감이라고 말하는 게 맞는 표현 같은데."

"그런 게 가능하구나. 신기해. 넌, 다시 돌아올 생각은 없는 거야?"

"미안해. 다시 돌아올 생각은 없어."

"지금 생활은 만족하는 거고?"

"얼마나 좋은 사람인데, 혹시라도 돌아갈 일이 생기면 너희한테 바로 달려갈게."

"알았어. 애들이랑 대화 좀 나눠볼까?"

입구 앞으로 부르며 손짓하자 발걸음을 나섰다. 부모들은 자신의 자녀들이 좋아하는 음식을 한 무더기 가지고 왔으며 가족이 없는 코코를 위해 캔에 담긴 참치를 건네주었다. 갈색 털과 상아색 배를 보이며 전선에 앉아 있던 참새는 곧 다가올 아침을 알렸다. 달님과 별님의 모습은 구름 뒤로 이동하자 붉은 노을은 오랜만에 햇빛과 그림자를 선사했다. 품에 따사로운 햇볕이 몸에 닿자, 토로 아저씨는 인사도 없이 바삐 움직였으며 오르막을 힘겹게 내달리더니 곧, 정상 부분에서 큰 소리로 우리를 향해 외쳤다.

"너희가 이제 바꿀 차례야. 먼발치에서 바라보며 언제나 응원할게. 만나서 반가웠어!"

토로 아저씨는 뒷모습을 끝으로 더는 볼 수 없었다. 점점 시야에서 벗어나는 그를 보며 부모님들은 시선을 떼지 못했고 아쉬움의 눈물을 흘리는가 하면 민호의 어머니는 구슬픈 울음소리로 답했다. 지금까지 겪은 날들과 다르게 긴 하루는 마무리되었다.

*

"아름아, 일어나야지. 아름아!"

모처럼 부모의 살가운 억양과 표현에 뒤척거림 없이 꿈속을 거닐었다. 그랬던 탓에 눈을 뜨자 그동안의 짓눌림과 피로는 헤어짐의 인사말도 없이 떠났다. 지민은 고개를 젖혀 하늘을 바라보더니 이별의 시간이 다가옴을 직감했다. 한숨은 귓가를 자극했고 고개를 한쪽으로 젖히며 말을 건넸다.

"지민아 무슨 고민 있어?"

"힝……."

"왜 그래? 누나한테 말해봐. 이야기 들어줄게."

"엄마랑 아빠 다시 가셔야 하잖아. 더 있고 싶은데! 해님아 멈춰주세요!"

귀여운 애교와 아쉬움이 담긴 표현에 지민의 양부모님은 다가왔다. 그루밍을 조심스레 해주며 말없이 감정을 표출했고 마음을 읽었는지 눈을 살며시 감은 채 반달 입술을 선보였다. 해가 하늘의 중앙에 머물자 곁을 떠났으며 마중을 나가려는 그림자를 재차 말리며 발걸음을 옮겼다. 수많은 그림자와 인기척은 더는 보금자리에 느껴지지도 보이지도 않자 역할을 분담해 청소를 시작했다. 떨어진 물을 보충했으며 낯선 냄새는 자신들의 체액들로 채웠다. 모든 정리가 끝이 나자 한가로운 시간이 찾아왔고 몇몇은 산책하러 다녀온다며 사라지자, 나머진 보금자리로 이동했다. 고요함 속에 찾아온 여유로움은 한동안 꺼내지 못한 안식을 취하기에 충분했다. 어디선가 들려오는 노랫소리에 멜로디를 따라 흥얼거렸고 맴도는 노란 나비를 보며 달려왔던 시간을 내려놓았다. 걱정과 설렘, 복잡미묘한 감정과 생각들은 언제나 그랬듯이 자취를 감췄다.

"아악! 으으……."

희미하게 들려오는 고통 섞인 신음과 흐느끼는 소리, 가까워질수록 귓가를 자극하는 절규는 피부에 닿을 정도로 메아리쳤다. 걱정스러운 눈빛과 표정은 사태의 심각성을 드러냈고 지민과 코코가 다가서려 하자 누렁은 나오며 말을 건넸다.

"여긴 남자는 오면 안 돼!"

"너도 남자잖아."

"난, 애 아빠 옆을 지켜주고 있을 뿐이야."

"뭐라고?"

주위를 돌아보자 누렁이와 애 아빠로 보이는 백구를 제외하곤 벽으로 시선을 향한 채 사방을 경계했다. 상황을 인지했는지 긴장감과 증폭되었고 그를 위로해주며 시간이 흘러가기만을 기다렸다.

'으윽!'

거친 숨소리가 사라지더니 반가운 울음소리가 귓가에 다가왔다.

'앵앵⋯⋯.'

모습을 드러내더니 뒤이어 총 3마리의 꼬물이가 앞다투어 세상으로 힘찬 울음을 선사했다. 아빠 백구는 자식들을 보며 기쁨의 눈물을 흘렸으며 엄마 백구는 연신 귀여운 백설기 같은 녀석들을 핥아 주었다.

힘을 보태 안전한 곳으로 옮겨 주자 경계를 하고 있던 그림자는 다가와 해맑은 미소로 바라보기 시작했다. 한 번씩 움직임을 보일 때마다 탄성이 쏟아졌고 작은 옹알이가 들릴 때면 따라 하며 감정을 드러냈다. 연신 축하 인사와 미소를 보이며 지켜보던 코코는 모두를 향해 말을 건넸다.

"백구 부부를 위해서 작은 성의를 표하는 게 어떨까?"

어떠한 끄덕거림과 말도 없이 일사불란하게 보금자리로 향했고 '주황색 가로등 불빛'이 곁으로 찾아오자 모두 가져온 것을 내려놓았다. 지민은 아가들을 위해 검은 때가 묻어 있는 아끼던 하얀 곰 인형을 가져왔으며 코코는 반 정도 먹다 남긴 참치를 가져왔다. 각종 음식 냄새가 풍겼으며 누렁이 녀석의 무리는 고마움을 전했다. 새 생명이 탄생한 거에 대한 축하와 감정은 끝이 보이지 않던 깊은 웅덩이를 벗어나기에 충분했다. 음식을 나누며 화합의 신호를 알렸고 대화를 나누며 습성과 고집의 이해를 알렸다. 시간은 도드라지는 아가들의 소리에 미소를 머금는 날들이 계속되었다. 하늘의 새들은 지날 때마다 귀여움에 환한 미소를 보이며 답했고 터를 잡은 무리에게서 좋은 소식이 들려오자 갈등에서 오는 사나운 소리가 잦아들었다. 중재를 해주거나 서로의 다름을 인지시켜주었고 시간이 지날수록 격해지던 감정과 골들은 점차 줄어들어 갔으며 안정되어 가는 시간 속 서로의 눈빛들은 사그라들었다. 휴식을 취하고 있던 어느 날, 한 명의 등장은 갈등의 씨앗으로 변했다.

"애들아 잘 지냈어?"

**

전처럼 쩔뚝거리는 모습은 없었고 상처들은 새 살로 털과 함께 윤기를 들어냈다. 민호의 등장에 반가움을 표했지만, 코코만큼은 걱정스러운 눈빛으로 바라봤다.

"지민이 완전 어른스러워졌네."

"아니야. 아직도 형처럼 되려면 멀었어."

"네가 그런 말 할 거라고는 생각도 못 했는데."

"또 놀리는 거 봐."

"놀리긴, 아름아 잘 지냈어?"

"덕분에 잘 지냈지. 오느라 많이 힘들었지? 뭐 먹을래? 아님, 물 마실 거야?"

"괜찮아. 이 정도 거리 가지고."

"진짜 다 나았나 보다."

"당연하지. 이젠 담도 넘어 다닐 수도 있고, 어느 거리든 뛰어다닐 수도 있어."

"잘됐네. 잘 됐어!"

서로의 안부를 물으며 끊임없이 대화를 나누었지만, 어색함과 적막 감이 감돌고 있었다. 무언가를 말하려는 듯이 입술을 꿈틀거렸고 한 명의 말을 시작으로 미소가 사라지자, 물꼬를 튼 대화는 점점 격해져 갔다.

"그래서 지금 리더를 바꾸자고? 여길 가꿔왔던 규칙들은 어떻게 하려고!"

"아름이도 잘 해냈으니까, 민호 정도면 충분히 잘할 수 있다니까 그러네."

아름과 민호는 아무 말도 건네지 못한 채 상황을 지켜봤다. 어떤 말을 할 수도 없었고 갑작스러운 상황에 생각할 시간이 필요했다. 좀처럼 진정되지 않자 지켜보던 코코가 다가와 속삭였다.

"할 말 있으니까 따라와, 둘 다."

보금자리를 벗어난 후에도 날 선 말들은 귓가를 자극했고 발걸음을 거닐수록 헤아릴 수 없을 정도의 깊은 고뇌와 한숨이 곁에 머물렀다. 그건 옆을 거니는 민호도 마찬가지였다. 코코는 다리 앞에 멈춰 서더니 아래로 고개를 '깔딱'거리자, 발걸음을 향했다. 밤하늘 영롱한 달빛이 흐르는 천변에 모습을 드러냈으며 다이아몬드처럼 강렬한 빛들이 눈에 통증처럼 다가왔다. 천변의 밤 풍경은 지금껏 본 적 없는 고요함과 편안함이 묻어나왔고 한 번씩 스쳐 지나치는 바람은 한기를 품었지만, 고민을 나누려는 듯 통증을 붙들었다. 가만히 보고 있던 코코는 흐르는 강물로 향하더니 몸을 맡겼다. 민호가 먼저 달려갔지만, 발을 '동동' 구를 뿐 어떠한 행동도 취하지 못했고 생각할 겨를 없이 코코를 향해 몸을 던졌다. 살려야겠다는 의지 하나로 코코를 붙들었고 배가 반 정도 찰 만큼의 물을 마시며 녀석을 구해내었다. 헐떡거리는 숨이 진정되자 높은 억양으로 쏟아 붙였다.

"너 제정신이야! 왜 갑자기 뛰어들어. 뭐가 그렇게 걱정이 있는 건데, 우리가 있잖아. 왜 목숨을 버리려고 그래. 멍청한 고양이 같으니라고!"

그러자 코코는 갑자기 크게 웃으며 한 명에게 시선을 고정했다. 어이없는 상황에 일자 눈이 된 모습으로 녀석을 바라보자 숨을 '푸' 내쉬며 결심한 듯 말을 건넸다.

"리더는 아름이가 하는 게 맞네."

"뭐라고?"

순간의 적막감 속, 민호는 말의 의미를 깨달았는지 코코를 바라보며 눈을 지그시 감았다 떴다.

"아름아, 네가 리더 하는 게 맞는 거 같아."

그가 내뱉는 말에 당황스러움은 증폭되어 부풀어 버린 감정을 제어

할 수 없었다. 의미를 이해하지 못한 채 둘을 향한 잔소리가 끊임없이 쏟아졌고 말을 뱉을 틈을 주지 않자 호탕한 웃음을 보이며 상황을 진정시키려 했다. 그럴수록 일자 눈은 날 선 눈빛으로 변하자 둘은 동시에 달려들어 그루밍을 펼쳤다. 강하게 울리던 심장 박동은 가라앉혔고 품에 느껴졌는지 코코는 살며시 얼굴을 쓰다듬어 주며 말을 건넸다.

"아직도 모르나 보네. 글지, 민호야."

"응. 지금 보니까 아름이가 제일 바보네."

"뭐!"

"사실 나, 수영할 줄 알아."

"응?"

"수영할 줄 안다고, 미안한데 너희 시험해 보려고 뛰어든 거야."

"무슨 그런 말도 안 되는 소릴 해!"

"봐 봐."

코코는 다시 천변으로 뛰어들었고 혹시나 하는 마음에 앞발이 물에 닿는 곳까지 이동하자 녀석은 놀라운 솜씨를 뽐내며 물살을 이겨 내고 있었다. 자유로운 움직임을 보임과 동시에 잠수까지, 녀석은 마치 수달과 같았다.

"아흐, 물 차갑다. 봤지? 넌, 나를 구하려 바로 몸을 날렸지만, 민호는 그러질 못했어. 갈림길에서 목숨을 선택했고 넌, 희생을 선택한 거잖아. 리더는 네가 되어야 하는 게 맞아."

코코가 건넨 말에 걱정스러운 눈빛으로 민호를 바라보자 옅은 미소를 보이며 볼과 입에 입술을 맞추었다. 그러더니 작은 소리로 속삭였다.

"리더는 너야. 그리고 널 좋아하는 내가 부끄럽지가 않아."

민호가 건네는 말에 얼굴은 빨개져만 갔고 귓불의 시작으로 뜨거울 정도의 열기가 퍼져 나갔다. 코코는 민호의 진심 섞인 말과 고백에 환호성 대신 치기 어린 탄성을 쏟아내었다.

"뭐… 좋아해 줘서 고마워. 네가 참 좋아."

"우-우-우! 커플은 저리 가라!"

"그래도 당장은 말 못 해줘."

"괜찮아. 다시 돌아가 볼까? 애들 기다릴 텐데."

"그래. 어서 가자."

이렇게 될 줄은 몰랐다. 혹시라도 원한다면 민호에게 넘겨줄 생각이었고 믿어줬던 그 날처럼, 잘 이끌어 갈 거로 생각했다. 항상 받기만 하는 믿음에 고마움은 배가 되어 설렘과 미안함의 이중적 감정이 찾아왔다. 보금자리로 가까워질수록 날 선 말들이 귓가를 자극했다. 입구 앞에는 애들을 말리러 온 여러 무리가 모습을 보였다.

"그만 싸워, 애들아."

몸의 대화를 나누진 않았지만, 살기서린 눈빛이 드러났으며 달려들어도 이상하지 않을 만큼의 분위기가 형성되어 있었다. 그러자 민호가 갈라선 두 그룹의 중앙에 멈춰 섰다.

"우리의 리더는 아름이야!"

민호가 건넨 말에 표정은 뚜렷이 드러났다. 한쪽은 밝은 표정과 함께 서로에게 그루밍을 하였고 한쪽은 마치 큰 패배를 한 것처럼 풀죽은 모습으로 말없이 지켜봤다. 그러자 어깨를 다독이며 옆에 섰고 중앙의 빈자리엔 코코가 자리에 서며 입술을 뗐다.

"어떤 일이 있었는지 이야기하진 않을게. 둘만의 일이니까, 근데 너희에게 해주고 싶은 말이 있어. 정말 멋있었어."

"뭐? 너 우리 놀리는 거지, 지금!"

"무슨 말만 하면 놀린다고 생각하고 그래."

"네가 항상 그랬으니까."

"야, 그건 장난이었잖아. 치, 여튼 진짜로 멋있었어. 예전의 우리였으면 싸우고 몇몇은 심하게 다쳤을 텐데, 지금 주변을 봐 봐. 다친 사람 하나도 없잖아. 목소리가 높아져도 지금처럼만 토론하자."

지민은 코코의 말에 동조하며 다시 한번 흥에 넘치는 모습을 보였다. 앞발을 들고 걸어 다니는가 하면 몸 곳곳에 흙이 묻을 정도로 굴러다녔다. 그럴수록 살기서린 표정과 날 선 말들은 사라지고 언제 그랬냐는 듯이 서로를 향한 기분 좋은 말과 행동이 드러났다. 혹시나 벌어질 일들이 걱정스러워 달려왔던 무리는 고개를 '절레'거리며 되돌아갔고 누렁이와 백구 부부는 안도의 한숨을 쉬며 윙크를 '찡긋' 날렸다. 많던 그림자는 또다시 사라져 조용한 분위기를 연출하자 민호는 모두를 향해 말을 건넸다.

"내가 진짜 좋은 곳 알고 있는데 같이 다녀올 사람!"

"좋은 곳?"

"응. 거기 가는 길목이 진짜 경치 최고야. 그리고 먹을 것도 많이 있어."

먹을 거라는 말에 코코는 미소를 보이며 옆에 달라붙었다. 몇몇은 자신의 음식이 비축되어 있기에 움직이지 않았고 녀석들에게 살펴 오겠다는 말로 보금자리를 벗어났다. 신이 난 듯 콧노래가 들려왔고 뒤에선 낯익은 흥얼거림이 귓가에 닿았다. 뒤를 돌아보자 혼자 있는 것이 심심했는지 귀여운 반달 입술을 보이며 지민은 다가와 말을 건넸다.

"나도 갈래."

"지민아, 형, 누나들이랑 같이 있지 그래."

"안 그래도 먹을 게 얼마 안 남았단 말이야."

고민하는 민호, 계속 칭얼거리는 녀석의 행동에 한숨을 내쉬며 고개를 끄덕거렸다. 토로 아저씨가 사라졌던 언덕을 넘어 검은 아스팔트 길을 따라가자 작은 삼거리가 등장했다. 신호등에 녹색 불이 켜지자 건너기 시작했고 바짝 붙으며 이동했다. 3층 높이의 높디높다란 나무들은 인도의 끝에 자리를 잡고 있었으며 한 번씩 불어오는 바람은 고날픈 하루를 속삭였다.

'스으윽… 샥……'

포근함은 찾아왔고 안내하는 것처럼 소리를 내뿜으며 인도했다. 짙은 회색에 담긴 꽃들과 빨간 꽃에서는 달콤한 향기들이 품어져 나와 코끝을 간지럼 피웠으며 지민은 사방을 훑으며 귀여운 앞발로 사뿐히 길을 거닐었다. 발을 내딛을수록 보금자리와 멀어질수록, 낯선 풍취는 상반된 감정을 머금었다. 조립식 패널로 지어진 녹색 철문이 굳게 닫힌 틈새에 몸을 구부리며 들어가더니 큰 소리로 말을 건넸다.

"들어와! 어서!"

발을 내딛자 갈색 토끼 똥만 한 무언가 일회용 그릇에 쌓여 있었다.

"왜 서 있어? 먹어봐."

민호가 먹는 모습에 다가섰지만 두려움은 증폭되어 갔다. 호기심 많은 지민은 한 번 씹어 먹더니 금방이라도 울 것만 같은 눈망울로 바라봤다. 한 번의 움직임은 끝없이 입을 움직였고 해맑은 미소와 함께 말을 건넨다.

"우와! 진짜 맛있어. 이런 음식이 있었다니. 엄마, 아빠 저 성공했어요!"

지민의 말에 눈을 '꽉' 감으며 입안으로 집어넣자, 딱딱한 식감에 씹을수록 고기의 맛이 가득 품어졌다. 숨을 쉴 때마다 고기의 맛은 커져만 갔고 코코는 다 씹지도 않은 채 허겁지겁 집어삼켰다. 모처럼의 만찬에 배는 산만해져 벽에 기대며 휴식을 취했고 그런 모습을 보며 민호는 말을 건넸다.

"어때, 따라오길 잘했지?"

"민호 형 최고! 엄마, 아빠한테 말했었는데, 그동안 못 먹어본 음식들 많이 먹어보고 알려주겠다고!"

"설마 그게 꿈이야?"

"응! 난, 못 먹어본 음식들 먹어볼 거야."

"으이구!"

"코코 형은 맨날 그러더라. 누나랑 형들은 꿈 없어?"

"지금처럼 지민이 웃음만 봤으면 좋겠는데."

"응? 맨날 웃어줄 수 있어."

"지금처럼 언제나 웃으면 돼. 알았지?"

"응. 음식 조금이라도 가져가야 하지 않을까?"

"그러게. 뭐 넣을만한 거 없어?"

"저기 구석에 가면 작은 종이 마대 있어. 잠시만 기다려."

구석으로 사라진 민호, 곧 검은 눈의 귀를 가진 보더콜리가 그려진 10L 정도로 돼 보이는 종이 마대를 물며 다가왔다. 그 속으로 갈색의 먹음직스러운 음식들을 빠르게 집어넣었고 교대로 끌며 되돌아갔다. 오래간만에 윗몸이 아릴 정도의 일을 끝으로 보금자리에 도착하자마자 숨을 헐떡거리며 넷 모두 쓰러졌다. 놀란 나머지 애들은 달려오며 말을 건넸다.

"왜 그래, 무슨 일이야?"

"누가 공격한 거야? 어떤 녀석들이야. 말만 해. 바로 달려갈 테니까."

"잠만, 근데 이건 뭐야?"

한 명의 말에 시선은 종이 마대로 향했다. 그러자 민호는 누런 치아를 보이며 환한 미소로 답했다.

"이거 너희 주려고 가져온 음식이야."

"진짜? 우릴 위해서?"

"응. 얼마나 힘들게 가져왔다고!"

"맞아. 형아들이랑 누나랑 같이 가져온 거야. 먹어봐. 진짜 맛있어!"

우르르 몰려와 냄새를 '킁킁' 맡아볼 뿐 입은 향하지 못했다. 역시나 반응은 똑같았고 홀로 먹던 지민은 모두에게 자신이 먹는 것을 보여주었다. 그러자 한 명의 발걸음을 시작으로 연신 맛있게 먹어

보이는 모습에 모든 인원은 배가 터질 만큼 입을 움직였다. 그러자 코코는 백구 가족이 생각났는지 남은 음식을 입에 문 채 그들에게로 향했다. 배도 부르고 살랑살랑 살갗을 스쳐 가는 바람은 잠의 기운을 부르기에 충분했고 지민을 시작으로 감긴 눈은 곧, 꿈속으로 발을 디뎠다. 자는 인원들 속에 조심스럽게 이름을 부르며 어디론가 안내했고 언덕 위의 좁은 골목길로 향했다. 시멘트 길로 중앙에는 연한 회색의 맨홀들이 오래된 길임을 증명했고 토속적이면서도 정감 있는 풍취가 물씬 풍겼다. 다리에 힘줄이 올라올 무렵 산 능선의 제일 높은 곳에 올라섰다.

"민호야 뭐야? 이런 곳이 있었어?"

'주황 가로등 불빛'과 '하얀 가로등 불빛'의 조화는 이로 표현할 수 없을 정도로 멋졌다. 높은 건물에는 하늘을 나는 비행기는 존재를 알리려 빨간 불빛이 반짝거렸고 넓은 도시는 희미하게 보이는 능선이 품고 있었다. 다리 밑 비친 밤하늘의 모습과 야경에 한동안 눈을 벗어나지 못했다.

"어떻게 알고 있었어?"

"예전에 가족이랑 다 같이 여기 올라 왔었어."

"예전에?"

"응. 할머니, 할아버지가 이곳에서 사라지셨대. 아버지 어릴 적에."

"아, 그래?"

"그런데도 이곳을 자주 오셨다고 하더라고."

"낭만적이셨나 보다. 두 분 모두."

"응. 아직도 두 분 다 여기 오신대. 너희 부모님도 아마 여기 아실 거야."

"아시면 뭐하냐, 한 번도 여기 온 적도 없었는데. 치⋯⋯."

"그동안 무슨 일이 있었길래 애들이 변한 거야?"

"많은 일이 있었지. 좋은 일도 있었고 안 좋은 일들도 있었고, 근데 신기하게 해결의 기미가 도저히 안 보이고 절망스러울 때마다 모면할 수 있는 것들이 등장했어. 벵갈 녀석 때는 토로 아저씨가 도와주셨고⋯⋯."

"말로만 듣기만 했지, 토로 아저씨 멋있더라. 왜 부모님이 항상 아저씨 이야기하는지 알 거 같았어."

"맞아⋯⋯."

"근데 넌, 비교가 안 될 만큼 더 멋있는걸."

"뭐? 부끄럽게… 근데 우리 잘하고 있는 걸까?"

"뭐를?"

"함께 어울려 사는 거, 차별 없이 대화를 나눈다는 거 말이야."

"속마음을 숨기는 애들도 있을 거야. 상대도……."

"살아온 시간이 있고 환경적인 영향으로 습득된 부분도 엄청 많은데 어떻게 단시간에 고쳐지겠어. 단지 믿는 거야. 부모님에게 배운 모든 것을 쏟아부을 거고 네가 나에게 먼저 내민 손길, 다른 사람에게도 건네줄 거야. 너처럼."

"힘들거나 아무도 네 맘을 몰라줄 때 여기 올라와서 시간 보냈으면 좋겠어. 조용하고 혼자만의 시간 보내기에 최고거든."

"응. 그러도록 할게."

빛의 향연 속 도시의 야경을 뒤로 한 채 발걸음은 다시 보금자리로 향했다. 다른 무리의 녀석들은 인사를 건넸고 반가움에 그루밍과 울음소리를 보이며 답했다. 여전히 애들은 코를 골거나 이를 갈고 있었으며 평화로운 시간이 곁에 계속되었고 한 번씩 찾아오는 다툼은 중재로 해결되곤 했다. 살갗을 스치는 바람은 한기를 넘어서 살을 벨 만큼의 추위가 찾아왔고 아침저녁으로 입김은 시야를 가리웠다. 누렁이 무리의 녀석들은 능선으로 올라가 나뭇가지와 풀때기를 물어와 하얀 꼬물이들의 보금자리를 만들어주었고 세월의 흔적이 선명한 빨간 빛이 감도는 솜이불을 곳곳에 깔았다.

다가올 겨울을 대비해야만 했고 일찍 곁에 맴도는 추위에 여유 부릴 새가 없었다. 짙은 어둠이 머물고 자동차 전조등마저 보이지 않는 시간이 될 때마다 갈색의 사료가 있는 곳으로 발걸음을 나섰다. 식량은 겨울을 보낼 수 있을 만큼의 양이 쌓여 조절만 한다면 봄의 중반까지도 버틸 수 있을 거 같았다. 식수는 내리는 눈과 비로 채우기로 했다. 빠르게 지나치는 구름에 한 번씩 달빛은 사라져 '주황 가로등 불빛'은 묘한 분위기를 선사했고 주위의 경계심은 증폭되었다. 낮의 해가 찾아왔고 다들 긴 잠에 빠진 시간 지민과 함께 오래간만에 차가운 한기와 싸우며 잠시 자리를 비웠다.

"누나 진짜 고마워!"

"으이구, 돌아다니고 싶었으면 말을 했어야지. 끙끙 앓고 있었어?"

"피해 주는 거 같아서."

"피해는 무슨, 이제 어디 갈까?"

"누나 잠시만, 이리로!"

지민은 풀과 한 몸이 된 것처럼 몸을 웅크리며 시선을 우리가 가려 했던 좁은 골목길로 고정했다. 그리고 그곳엔 삐쩍 마른 벵갈 녀석들의 모습이 보였으며 몇몇 그림자는 사라진 상태였다. 비틀비틀 움직이더니 한 명씩 눈을 감은 채 거친 숨소리를 내뱉으며 쓰러졌고 맞서 싸우던 녀석도 얼마 가지 못한 채 주저앉고 말았다. 지민은 녀석들을 보며 앞발로 자신의 입을 틀어막더니 감정을 절제했다.

"지민아, 지만아 정신 차려. 지민아!"

"어… 응."

"잘 들어. 지금 못 구해주면 저 녀석들 죽어. 지금 가서 애들 데리고 와. 어서!"

"나중에 공격하면 어떻게 해."

"그건 그때 가서 생각하자. 우선 목숨부터 살리는 게 우선이야. 어서!"

그는 보금자리로 바삐 발걸음을 향했다. 녀석의 모습이 사라지고 다가가자 흐리멍덩한 눈망울로 간신히 감겼던 눈을 뜨더니 혀를 내밀며 다시 눈을 감았다.

제5화 조화

 불안한 감정과 떨떠름한 표정을 숨길 수 없었으며 누렁이 무리 또한, 말썽을 일으키던 그들에게 도움의 손길을 준다는 것에 심통이 난 것만 같았다. 하지만 거친 숨소리에 본심을 숨긴 채 행동에 나섰고 모든 인원이 보금자리로 몸을 맡겼다. 도와주었던 무리를 향해 고개를 숙이며 감사의 마음을 전하자 짧은 한숨을 내비치며 그림자는 사라져 갔다. 녀석들에게 물과 함께 물에 불린 갈색의 음식을 전해주었다. 처음에는 물만 섭취할 뿐 어떠한 음식도 씹지 못하고 뱉었으며 몸의 회복은 더디게만 가는 것처럼 보였다. 그렇게 해님과 달님의 모습이 곁을 몇 차례 스쳐 지나치자 그들은 섭취할 수 있었고 정신과 육체가 회복되자 말을 건넸다.

"왜, 우릴······."

짧은 말 속에 복잡미묘한 감정이 드러났으며 고마움을 넘어선 표정을 머금었다. 그러자 코코는 상냥한 어투로 말을 건넸다.

"도와줘야만 했으니까, 그리고 생명은 소중한 거니까. 우리는 그래."

"너희를 공격한 전력이 있었고 얼마 전에 궁지로 몰아넣었는데, 어째서 대체······."

코코는 안쓰러운 눈빛으로 바라봤으며 지민은 어서 입술을 떼기만을 기다리는 눈치였다. 하지만 예상과 다르게 아무런 말도 건네지 않자 그는 물을 건네주며 말을 이었다.

"그건 나중에, 나중에 대화해요. 우선 몸이 먼저잖아요. 다 마시면 밥 드릴게요."

"······."

조건 없이 다가온 손길에 눈물을 흘렸다. 녀석은 모두에게 지극 정성으로 보살펴 주었으며 바삐 몸을 움직였다. 어느덧 하늘에 요상

한 뭔가가 떨어졌다. 비도 아니었으며 눈도 아니었고 쌓이는 거 같지만 물처럼 땅을 적셔갔다.

'퉁……'

처음 보는 현상에 샴 고양이 남매도 하늘과 땅을 번갈아 하며 바라볼 뿐 누구 하나 말을 내뱉지 못했다. 그러자 마음을 읽었는지 벵갈 녀석이 말을 건넸다.

"이건 진눈깨비라고 하는 거야."

"진눈깨비? 그게 뭔데?"

"비와 눈이 섞여서 내리는 게, 진눈깨비야."

"어떻게 알았어?"

"전에 주인에게서 들은 적이 있어. 이런 날씨엔 어디에도 나가기 싫다나 뭐라나."

"은근히 지식이 많네. 뭐, 신기한 거 아는 거 없어?"

"신기한 거? 생각나면 알려줄게."

"진짜? 고마워. 다들 경험하지 못한 이야기 듣는 걸 좋아하거든!"

"기억하고 있을게."

진눈깨비는 비로 혹은 눈으로 변하지도 않은 채 어둠이 몰려오기까지 땅을 적셔댔다. 그럴수록 어디선가 어린 녀석들의 즐거운 웃음소리가 들려왔고 백구 부부의 아가들임이 틀림없었다.

차가운 바람이 몸을 스쳐 지나칠 때면 한 번씩 침샘을 분비하는 냄새가 코끝을 자극했고 그럴 때마다 밖으로 몸을 나섰다. 벵갈 녀석들의 상처들이 치유되자 한동안 대화를 나누더니 어깨를 '톡' 치며 손짓했다. 혹시 모르는 상황에 코코와 민호가 옆을 지키며 다가섰다.

"아름이라고 불러도 될까?"

상냥한 말투, 전과는 다른 순함이 드러났다. 날카로웠던 눈빛들은 사라졌으며 어떠한 위협도 느낄 수 없었다.

"응. 아름이라고 불러주면 너무도 감사하지."

"저기, 아름아… 저 우리가 대화를 나눴는데 여기에 머물어도 될까?"

*

귀를 '쫑긋' 세우며 무심하듯 듣고 있던 녀석들에게서 탄성이 쏟아졌다. 절대로 나오지 않을 거로 생각했던 말이 내뱉어졌다. 밤하늘 영롱한 달빛은 우리를 비추며 새로운 상황에 발을 디뎠음을 알렸다. 한기를 가득 먹은 바람은 스쳐 지나쳤지만 뜨겁게 달아오른 가슴에 곁에 머물지 못했고 입술이 떼지길 기다리는 벵갈에게 말을 건넸다.

"함께 지내게 된 걸 진심으로 축하해. 앞으로 잘 지내보자."

"진짜로… 받아주는 거야? 아무런 조건도 없이?"

"응. 여기에서는 아무런 조건 없이 지내. 단, 규칙이 있어."

"알아. 모두 알고 있어. 무슨 일이 생긴다면 언제든지 너희에게 혹은 다른 무리에게 중재를 요청할게."

"고마워. 너희는 용감하고 냉철함을 지녔으니까 금방 적응할 거야."

"그동안 괴롭혔던 거, 못 믿었던 모든 것을 사과할게."

"미안해, 아름아. 미안해, 애들아!"

눈에 흘러내린 눈물은 볼을 타고 땅을 적셨으며 애들은 녀석들에게 다가가 땅이 아닌 자신의 발과 얼굴에 적시게 해주었다. 자존심이 누구보다도 강한 녀석들이었지만 먼저 건네준 손길에 감사함을 느끼고 있었다. 한 번씩 떠오를 때면 정신과 육체에 극한 피로가 몰려왔으며 절제하기 힘들 정도의 고통이 머물렀다. 해결되지 않을 것만 같던 문제를 진심으로 대하자 맴돌던 고통은 바람과 함께 사라졌다.

'후후, 재개발 구역에 아직도 머무르고 있는 주민분들에게 알려드립니다. 조합 회의가 진행될 예정이오니 임시 사무실로 오시길 바랍니다.'

전봇대 높은 곳에 달린 스피커 너머로 안내방송이 몇 차례 귓가를 자극했다. 예상했던 대로 재개발 예정지였고 보지 못했던 사람들의 그림자가 모습을 드러냈다. 생각보다 많은 인원이었으며 그들을 피해 몸을 숨겼다. 하지만 귓가를 자극하는 대화, 분노와 참담함이 섞여 있었다.

"어떻게 된 게 통보도 없이 그럴 수가 있어! 쫓겨내면 어디에서 살라고!"

"그러게나 말입니다. 정말 무서운 놈들이에요. 대화하겠다고 말하더니 뒤통수를 칠 줄이야."

"막아보죠! 집을 지켜야 하지 않겠습니까."

"근데 만약 다 밀어버린다면 어디로 가야 합니까? 조합장님이 한

번 나서서 이야기해 보시죠."

대화가 진행될수록 격해졌으며 바깥을 산책하던 누렁인 추운 날씨 속에서도 혀를 내밀며 바삐 발걸음을 움직였다.

"허억… 너희 소식 들었어?"

누렁의 다급함이 모두의 귓가에 닿자 오래간만에 깊은 한숨을 내쉬었다.

그리곤 곧장 코코와 지민에게 부탁하며 모든 무리에게 모일 것을 알렸다. 오후 6시를 막 넘은 시간이, 주황 노을은 모습을 숨긴 뒤였고 하늘엔 보라색과 검은색의 중간 색상에서 점점 검은색으로 물들어가고 있었다. 벵갈 무리가 첫 번째로 발을 디뎠으며 마지막으로 도착한 무리는 누렁의 무리였다. 작은 마당에 수많은 그림자가 머물렀으며 이유도 모른 채 수군거림은 극에 달했다.

"무슨 일 있대?"

"몰라. 설마 누구라도 쫓아내려고 하나."

"사고 친 애들 있어서 그런 거 아니야?"

"그럴 만도 하지. 슬슬 본성들이 나올 때가 됐지. 암암."

'야옹… 야옹……'

모두에게 조용할 것을 알렸고 일순간 소리는 사라졌다. 앞으로 나와 리더인 백구를 중앙에 서게 했다. 한 발짝 뒤로 물려 말할 것을 권했고 파격적인 행동에 눈을 동그랗게 뜬 채 입을 '쩍' 벌렸다. 그러자 주위를 둘러싼 인원과 눈을 마주치며 숨을 크게 들이마시더니 총명한 눈매로 입술을 뗐다.

"먼저 발언권을 준 아름에게 고마워. 어떠한 일이 발생했어. 다툼에 의한 혹은 차별에 의한 일이 아니고 바로 사람들이 겪는 이야기이며 앞으로 겪게 될 일을 미리 알려주려 해."

한 번의 짧은 호흡을 가져가자 시선은 집중되었고 귓가에 닿는 말을 놓지 않으려 향했다.

"주위로 연한 회색의 패널들이 쌓아진 걸 본 애들 있어?"

넌지시 던지자 한 명 두 명 손을 들기 시작하더니 말이 쏟아졌다. 역시나 알고는 있었지만, 정확히 무슨 상황인지 몰랐던 탓에 본 사실을 건네지 않았다. 그러자 백구는 자신의 무리를 '힐끔' 바라보더니 다시 말을 이었다.

"여차하면 이곳을 떠나야 할지도 몰라."

"뭐라고?"

몇몇은 놀라 하거나 당황스러워하며 감정을 드러냈지만, 대부분은 헛된 소리로 여겼다.

"말도 안 되는 소리 하지 마."

"맞아. 이렇게 좋은 곳이 어디에 있다고 여길 떠나."

"사람들이 다시 돌아올걸? 여기가 얼마나 좋은 곳인데."

예상과 다른 전개에 당황할 법도 한데 백구는 화도 성질도 부리지 않았다. 그럴수록 오히려 그들에게 다가갔다.

"쉽게 설명해줄게. 여긴 재개발 구역이야. 혹시 뭔지 알아?"

"재개발?"

"이곳을 다 부숴버리고 새로이 아파트나 마을을 건설하는 거야. 그러면 우린 자연스레 보금자리를 잃게 되고 모두 흩어지게 될 거야. 그래서 너희의 머리와 정보를 얻으려고 아름한테 부탁해서 자리를 마련했어."

쉽게 설명을 해주자 그제야 상황을 인지했는지 다시 한번 수군거림이 일어났다. 그런 모습에 부르짖으려던 코코를 말리며 찾아온 수군거림이 끝나기만을 기다렸다. 예상대로 걱정과 우려의 끝에 도달하자 현실의 벽이 다가왔음을 느꼈다. 갈등이 아닌 서로의 깊은 고뇌는 깊어져만 갔고 적막감이 그림자마저 집어삼키자 갑작스러운 소리에 얼굴에 옅은 미소들을 머금었다.

"끼이잉… 끼이잉… 맘마 맘마 주세요."

귀여운 꼬물이 녀석의 옹알이 덕에 잠시 복잡한 현실을 내려놓을 수 있었고 앞에 섰던 백구는 짧은 눈인사로 녀석들에게 다가갔다.

"너희는 어떻게 했으면 좋겠어? 무리당 2인 1조 2팀 정도로 해서 저 장벽을 넘어선 동네를 알아봤으면 하는데, 어떻게 생각해?"

그러자 누렁은 큰소리로 외치며 동의했고 벵갈 또한 마찬가지였다. 한 번의 물결은 순식간에 몰아쳤고 집어 삼켜졌던 그림자는 전과 같은 모습을 드러냈다. 먼저 좋은 자리를 찾기 위해 발을 나선 것은 벵갈 무리였다. 해님의 모습이 하늘 정중앙에 위치하자 요란한 소리가 귓가를 자극했다.

'두두두 두둥 두두둥'

소리가 들려옴과 동시에 모습을 감췄던 사람들은 그곳을 향해 달려 갔고 격한 말들과 고통 섞인 목소리가 귓가를 자극했다. 산책하던 지민과 누렁은 거친 숨을 내뱉으며 말을 건넸다.

"누나! 누렁이 무리 보금자리가 사라졌어."

"뭐라고?"

"주황색의 커다란 무언가 오더니 건물들을 마구 부숴버렸어. 간신히 다친 애들 없이 피신했는데, 우리뿐만 아니라 다른 애들도 마찬가지야."

"이 소리는 뭔데?"

"사람들끼리 치고받고 싸우고 있어."

"누나 이제 어떻게 해……."

"걱정하지 마. 다들 좋은 장소 찾고 있으니까, 거기로 이동하자 알았지?"

"응!"

현실은 냉정했고 또다시 바삐 이동해야만 했다. 해님과 달님의 모습이 비칠 때마다 일들이 반복되었고 하늘에 드리워져 땅을 적시는 비나 진눈깨비가 다가왔을 땐 그 모습이 사라졌다. 무리의 정보를 토대로 각 대표와 함께 장소를 물색했고 선발대를 시작으로 하루에 한 무리씩 이동시켰다. 아름은 제일 마지막으로 발걸음을 나섰으며 안락한 자리들은 어린 아가들이 있는 무리의 몫으로 돌아갔다. 한 무리씩 떠나간 그곳엔 하루가 다르게 각종 장비가 오고 갔으며 모습을 보이던 사람들의 그림자는 사라졌다. 그들이 살던 주택엔 '하얀 불빛'조차 시선에 잡히지 않았고 저녁은 고요함과 적막감으로 하루의 시작을 알리곤 했다. 자리를 옮긴 곳은 부모님이 계시는 곳과 멀지 않았으며 오래된 5층 아파트들로 이루어져 있었다. 물론 이곳 또한 사람의 흔적이 종종 모습을 보일 뿐 어떠한 위협도 다가오질 않았다. 한 번씩 다가오는 인기척과 그림자에 경계심을 품을 수밖에 없었지만 당분간 이동하지 않아도 된다는 생각에 마음의 안정감은 전처럼 요동치지 않았다. 12월의 후반으로 다다르자 오랜만에 거리 곳곳에 시간을 알리는 종소리가 울러 펴졌다. 한 번도 들어본 적 없던 꼬물이 녀석은 부모의 감시망을 피해 우리가 머무른 곳까지 내려왔으며 하늘로 피어오르는 휘황찬란한 폭죽 소리에 넋 놓으며 소리를 높였다.

'아우… 멍멍!'

어른들과 다르게 울림이 크지 않았고 이제 막, 말을 배우는 탓에 꼬물이가 사라진 것을 알고는 백구 부부들이 달려왔다. 웃음을 보이며 하늘을 가리켰고 '퍽'이나 귀여웠는지 앞발 앞으로 위치시키며 치솟는 폭죽을 감상했다. 떨어져 있던 그림자는 곁에 머물지 않앗지만 한 곳을 바라보는 것을 느낄 수 있었다. 지금 우리는 모두 서로의 습성과 가치관, 신념을 인정하며 한 단계 앞으로 나아가는 길목에 있었으며 '혼자'가 아닌 '함께'라는 단어를 품으며 발을 디뎠다.

*

한기에 드러나 시야를 가리우는 하얀 입김은 낮에도 모습을 보였다. 음식은 전과 크게 다르지 않았지만 물을 보관할 공간이 없어 항상 돌아다녀야만 했고 상황을 돌파해야만 했다.

"아름아 이리 와봐."

민호는 냄새를 '킁킁' 맡으며 온종일 물을 찾아 돌아다녔다고 전했다. 못 먹을 수도 있기에 본인이 직접 입술을 적셨으며 끝내는 많은 양의 물과 쉼 없이 쏟아지는 곳으로 인도했다. 익숙한 냄새가 코끝을 간지럽 피웠고 고개를 들어 정면을 바라보자 활짝 웃으며 지민과 코코는 말을 건넸다.

"누나. 여기 물 엄청 많아."

"여길 너희가 찾아낸 거야?"

"응. 누나가 너무 힘들어하고 바쁘길래 우리가 찾았어. 좀 있으면 샴이형이랑 셈이 누나도 올 거야."

"샴이랑 셈이도?"

"응! 모두에게 사실을 알리려 갔어."

"말이라도 해주고 가지……."

"네가 하는 일만 해도 얼마나 많은데 우리가 어떻게 도와달라 해. 양심이 있지."

"그래도……."

"잘 해결됐잖아. 도와주고 알려주고 서로 인정해주고 그게 아름이 네가 말한 거잖아."

"너희 정말……."

모두의 말에 감동한 탓에 입 밖으로 말을 뱉을 수 없었다. 수많은 그림자가 느껴졌고 뒤를 돌아보자 환한 미소를 보이며 감사함을 전했다. 이곳을 찾아낸 인원을 소개해주었고 공은 모두 녀석들에게 돌렸다. 갈증을 느끼던 녀석들은 입안을 촉촉이 적셨으며 한 번씩 찾아오는 명소가 되었다. 그렇게 하나씩 해결해 나가자 우리에게 찾아온 것은 추위와의 문제였다. 나뭇가지들과 버린 이불을 가져와 버렸지만 하얀 성에가 유리창에 보일 때면 턱이 자연스레 '덜덜' 소리가 날 정도의 한기가 온몸을 파고들었다. 그러자 벵갈은 다가오더니 말을 건넸다.

"밖에 있지 말고 안으로 들어가!"

"안으로 들어가라니, 다 막혀 있는데?"

"너희 뒤에 있는 창문을 왼쪽이나 오른쪽으로 밀어 봐."

"이렇게?"

그의 말대로 한 방향으로 밀자 닫힌 줄만 알았던 창문이 열렸다. 높이를 보니 덩치가 작은 지민이 또한 충분히 넘을 수 있을 정도였고 그의 말에 밑으로 향했다. 그러곤 걱정스러운 눈빛을 보이며 누렁이 무리를 향해 나아갔으며 언 몸은 따뜻하게 다가오는 열기에 녹일 수 있었다. 하지만 생각보다 시끄러운 소리에 큰소리로 지르지 않고서는 의사소통할 수 없었다.

"아름아 내 말 들려?"

"응, 들려. 무슨 일이야!"

"여기에서 오래는 못 있을 거야. 해가 보이면 무조건 올라가자!"

"알았어. 애들한테 말할게."

한 명에게 말을 전하자 내용을 정확히 아는지 모르는지 확인도 하지 못한 채 전달되었다. 그렇게 겨울은 이른 아침과 저녁으로 자연과의 극한 대립이 이루어졌다. 그럴수록 화합은 커져만 갔고 시간이 흐를수록 꼬물이들의 말과 덩치는 점차 커졌다. 그러던 어느 날, 누렁은 다가왔다. 걱정스러운 눈빛을 보냈고 혹시나 하는 생각에 그의 말을 들었다. 전과 다른 양상에 고민은 깊어져만 갔으며 다시 빈 공터에 모였다.

"대충 이야기 들었을 거로 생각해. 이번엔 우리 무리의 샴 고양이 남매가 사라졌어……. 사람들이 먹이로 유인했대. 녀석들은 깊은 잠에 빠지더니 자동차에 실려 어디론가 사라졌고. 근데 그뿐만 아니라 지금 곁에 없어진 인원들이 보일 거야. 전에 봤던 다른 장소로 황급히 이동하자. 이번에도 선두는 아기가 있는 무리야. 혹시 다른 의견 있으면 말해줘."

사라진 인원에 대한 그리움과 슬픔에 누구 하나 말을 떼지 않았다. 구슬피 우는 울음소리와 힘겹게 참아내고 있는 표정들 속에서 또다시 서로를 위로하며 바삐 발걸음을 나섰다. 그러자 백구 부부가 다가오더니 말을 건넸다.

"항상 배려해줘서 고마워."

"우리가 해줄 수 있는 게 없어서 미안해."

"미안하긴, 귀여운 아가들이 어서 자라서 네 자리에 섰으면 좋겠어."

"얼마나 말썽꾸러기들인데 리더는 못 돼."

"맞아. 맨날 말썽 피우고 다녀서 죽겠어, 아주."

"어리잖아. 이 녀석이 커서 우리가 겪은 상처를 안 받게 하고 싶어."

"우리 애도 많이 놀림당하겠지? 눈이 다르다고, 귀신이라고… 그런 소리까지 듣겠지?"

"확신은 못 해줘. 다만 아이가 그런 소리를 듣고 상처를 받는다면 너희는 어떤 상황에서도 지켜줘. 세상에 믿을 사람은 부모님밖에 없다는 걸, 꼭 알려줘. 그러다 보면 어느 순간에 기회가 오고 편견과 멸시의 조롱거리 속에서 빛을 발휘하거든. 그때부터 믿음이란 게 생기고 의지하는 법을 배우게 돼."

"고마워. 꼭 그렇게 키울게."

"너흰 지금도 멋진 부모지만, 훗날에도 아이들의 기억 속에서 잊히지 않을 거야."

"먼저 가 있을게. 조심히 와. 너희!"

"알았어. 어서 가. 꼬맹이들! 너희도 엄마, 아빠 꼭 잘 따라가야 해.
알았지?"

"네!"

"우리 이제 달릴 수도 있어요."

"진짜? 나중에 네가 너희 아빠보다 더 빨리 달리겠다."

"진짜요?"

"당연하지. 근데, 앞으로 힘든 순간들이 찾아올 거야. 그때마다 주
저앉지 말고 이겨 냈으면 좋겠어. 너희가 크면 무리를 이끌 유능한
백구들이거든."

"우와! 나중에 이모처럼 꼭 그렇게 될게요. 조심히 오세요."

"그래. 백구야 어서 가."

보금자리를 떠나기 시작했다. 벵갈 녀석들은 마지막에 가겠다며 힘
겨루기를 했지만, 처음으로 그루밍을 하며 나긋한 목소리로 귓가에
속삭였다.

"네가 안 가면 누가 지켜주냐, 먼저 가. 혹시라도 노을이 보이기 전
에도 모습이 보이지 않는다면 위기에 빠진 거로 생각하고 절대로

뒤돌아보지 마. 너희가 위기에서 구해줘."

"아름아 이제야 마음을 열었는데… 이제야 네가 말한 세상이 뭔지 조금은 알 거 같은데……."

"죽는 것처럼 이야기하지 마! 혹시라도 모습이 보이지 않는다면 나중에라도 너희가 위기에 빠졌을 때 달려와 줄게. 어서 가. 애들 기다릴 거야."

"꼭 와! 기다릴게."

모습을 기억하려는 듯이 연신 뒤를 돌아봤다. '주황 가로등 불빛'에 비치던 그림자들이 사라지자 마지막 정리와 점검을 마치며 이탈했다. 하얀 솜사탕 같은 촉감이 몸에 닿자, 자연스레 고개를 들었다. 구름은 금세 영롱한 달빛과 별빛을 가로막으며 눈을 선사했고 알 수 없는 불안감이 곁에 찾아왔다. 곧 귓가를 자극하는 민호의 목소리로 예상은 적중했다.

"애들아! 도망가! 어서!"

*

뒤를 돌아보자 민호는 철창으로 이룬 컨넬에 갇히고 말았다. 녀석을 구하러 아랑곳하지 않고 몸을 돌려 다가갔다. 지민과 쿠쿠는 그물망에 걸려 사람들의 손에 작은 옮겨졌으며 뒤를 돌아보지 말고 나아가라는 말을 끝으로 되돌아갔다. 잡으려는 사람을 이리저리 피해 앞에 도착하자 발로 한 번 넘어뜨리고 다시 지민과 코코의 순으로 똑같은 행동을 취했다. 바삐 움직이며 마치 게릴라전을 하듯이 발버둥 쳤지만 바람을 가르는 소리에 통증과 함께 기운이 빠지기 시작했다.

'피웅!'

발사된 마취총은 정확히 몸에 박혔고 그를 향해 달려갈수록 무거운 눈꺼풀의 압박은 육체와 정신을 사로잡으며 주저앉히고 말았다. 희미하게 들려오는 절규 섞인 목소리, 끝으로 감은 눈은 쉽사리 떠지지 않았다.

"분홍아 일어나렴. 분홍아."

계속 들려오는 낯선 목소리, 눈을 뜨자 익숙하면서도 낯선 분위기가 물씬 풍겨왔다. 꽤 오랫동안 꿈속을 거닐었던 탓에 상황을 파악하는 데 시간이 필요했다. 정면에 보이는 투명 아크릴 문을 보자

비로소 여기가 어디인지 알 수 있었고 하얀 가운과 파란 하의를 입은 여성의 목소리와 동시에 갈색의 사료가 놓였다.

"분홍아 밥이야. 맛있게 먹으렴."

상냥한 어투에 경계심이 사라지자 접시로 몸을 향했다. 허기졌던 탓에 입안으로 연신 밀어 넣었고 배는 또다시 산처럼 부풀려지자 벽에 기대며 휴식을 취했다. 그러자 익숙한 목소리가 귓가를 자극했다.

"아파요. 아프다니까, 건들지 마! 인간들아!"

목소리의 주인공은 민호였고 경계심과 분노는 극에 달한 상태였다. 익숙한 곳으로 돌아온 나머지 한 번씩 들려오는 지민의 코 고는 소리에 옅은 미소가 머금어졌다. 하지만 샴 고양이 남매와 코코의 그림자는 곁에 머물지 않았다.

"아윽, 열받아! 왜 날 만지는 거야, 계속… 이건 뭐야. 뭔가 발에 꽂혀 있어. 누구 없어요? 말 좀 해보세요!"

"민호야!"

"누구? 혹시, 아름이? 아름아!"

"네 몸에 꽂혀 있는 그거 널 치료해주려는 거야. 그니까 아파도 참고 있어."

"뭐라고? 날 왜?"

"네가 아프니까… 그니까 지민이처럼 감정을 절제하면서 있어 봐."

"아, 알았어. 넌 괜찮지?"

"응, 괜찮아. 좀만 더 쉬어. 알았지?"

"응……."

건네는 말에 거친 숨소리는 잦아들었고 전처럼 날 선 말들은 귓가를 자극하지 않았다. 하얀 눈을 마지막으로 친구들과 멀어졌다. 물 밀 듯이 밀려오는 걱정과 죄책감은 홀로 삼키기에 쓰디쓴 눈물로 돌아왔다. 육체는 편했고 정신은 스트레스가 줄어들자 모든 것에서 사라져 평화로웠지만, 녀석들의 모습이 눈앞에 희미한 안개처럼 아른거렸다. 그렇게 지민을 시작으로 민호까지 사람의 손에 이끌려 사라지더니 곧, 낯선 냄새가 코끝을 간지럽 피웠다. 달콤하면서도 과일 냄새가 품어져 나왔으며 그녀의 살가운 말투와 미소에 이끌려 밖으로 나섰다. 모처럼 나온 바깥 풍경은 겨울이 아닌 가을의 중반을 넘어서고 있었고 거리엔 지독한 은행 냄새가 숨을 쉬기 어려울 정도로 거리에 가득 채워졌으며 '오도독' 소리가 날 때마다 냄새는 증폭되었다. 하는 수 없이 냄새를 피해 품에 몸을 숨기자 살며시 몸을 쓰다듬어 주며 말을 건넸다.

"너 뭐야? 사납다고 하더니, 언제든지 품에 안겨. 언니가 항상 지켜줄게."

말과 행동에 안정감은 머물렀으며 어느새 젖어 들었다. 인정했고 곁에 없을 때면 하염없이 울부짖었으며 기다림에 지쳐 집을 이리저리 돌아다녔다. 그녀의 냄새 속 다른 이들의 낯선 그림자는 찾을 수 없었다. 다시 돌아가고픈 마음에 창문을 한 번씩 볼 뿐, 지금의 생활에 만족했고 손길을 기다릴 뿐이었다. 항상 해님이 사라진 후 7번의 종소리가 울리는 시간, 발을 딛던 그녀는 그동안의 시간과 다르게 주황 노을의 풍경이 시선을 사로잡은 그 시각 모습을 드러냈다. 반가움에 다가갔지만 낯선 그림자가 눈에 띄었고 손엔 익숙한 모습에 몸을 '벌벌' 떨고 있는 고양이가 바닥에 조심스레 놓였다. 가까이 가서 보니 녀석은 민호였다. 눈동자는 사방을 훑었고 뒷발을 쓰지 못해 바닥을 '질질' 끌었으며 초점은 한 곳을 가리키지 못했다. 하지만 심장 박동 소리만큼은 전과 같이 요동치고 있었다.

'야옹… 야옹…….'

"우리 분홍이가 새 친구가 생겨서 좋아? 상처가 많은 친구니까 싸우지 말고 보살펴줘야 해. 알았지?"

그녀는 민호를 위해 주방으로 발걸음을 나섰다. 모락모락 피어나는 하얀 입김 속 희미하게 코끝을 자극하는 고기 냄새는 침샘을 분비시켰다. 하지만 여전히 고개를 '푹' 숙인 채 두려움에 헤어나오질 못하고 있었다. 그러자 볼과 배에 그루밍을 하자 익숙한 품이 느껴졌는지 시선을 향하며 힘겹게 입술을 뗐다.

"누… 구?"

"민호야, 잘 지냈어?"

"흐윽… 아름아 보고 싶었어."

"왜 울고 그래. 몸은 왜 그래? 무슨 일이 있었던 거야?"

"말 안 할래……."

"알았어. 하지 마. 네가 하기 싫으면 안 해도 돼."

"저기… 근데, 여기 주인은 어때? 막 때리거나 던지거나 뜨거운 물을 몸에 뿌리지 않지?"

"무슨 소리야, 얼마나 좋은 언니인데. 너 설마… 학대당한 거야? 그런 거야?"

"⋯⋯."

기억이 다시 민호의 머릿속을 혼란스럽게 하자 고통스러운 울음소리를 내지르며 몸부림쳤다. 그녀는 민호의 행동에 놀라 하며 약을 입안으로 집어넣었고 온몸으로 퍼졌는지 늘어지며 눈을 살며시 감았다. 몸 전체를 쓰다듬어 주며 눈물을 흘렸고 다가가 몸을 비벼댔다. 눈물은 배가 되어 보살핌의 손길은 고스란히 행동으로 드러났다. 감정이 민호에게 전해졌는지 시간이 흐를수록 경계심과 두려움은 맴돌지 않았고 예전과 같은 미소를 얼굴에 드러냈다. 하지만 뒷발은 원래 모습으로 돌아오지 못했으며 밖을 나서려고 할 때마다 포근한 이불이 깔린 컨넬로 돌아갔다. 안쓰러운 얼굴빛이 드러났지만, 바깥의 두려움을 떨쳐내지 못한 그는 한 번씩 이루어지는 환기 때마다 창밖 틀에 몸을 올려놓고 바깥 풍경을 감상했다. 길고양이가 보일 때마다 드러나는 표정 속에 옛 추억들이 스쳐 지나치는 것을 느낄 수 있었다. 오랜만에 느껴보는 살랑거리는 바람, 여전히 아름다웠고 금방이라도 귓가에 이름이 불릴 것만 같았다. 하지만 어디에서도 익숙한 모습과 그림자는 시선에 잡히지 않았고 녀석들이 있던 곳과는 많이 떨어져 있는 것으로 여겼다. 세월의 무게는 몸의 신호로 알 수 있었고 우리는 전과 다른 감정들이 몸속에 베어졌다. 의지와 자신감은 사라졌고 편하디편한 곳에 머무르며 주인을 향해 애교를 피우는 것이 전부였다. 1년에 한 번씩 이루어지는 검진을 위해 병원으로 향했다. 사람들은 움직이기도 힘들어 보이는 두꺼운 옷을 착용했으며 숨을 쉴 때마다 내뿜어지는 하얀 입김에 현재 날씨가 겨울임을 알 수 있었다. 살갗을 스치는 한기는 건물에 들어서자 따뜻한 온기로 녹여졌다. 그러자 익숙한 목소리가 귓가를 자극했다.

"아름이 누나!"

고개를 돌려 소리가 난 곳으로 향했다. 하지만 녀석의 모습이 보이지 않았고 환청을 들었을 거라 여기며 다가서자 다시 한번 귓가에 닿았다.

"아름이 누나, 민호 형! 여기! 여기!"

앞발을 들며 춤을 추는 한 마리의 고양이, 분명 지민이었다. 몸은 전보다 훨씬 커졌으며 귀여운 똘망한 눈은 사라진 채 듬직한 수컷의 모습을 드러냈다. 하지만 여전히 반달 입술은 그대로 자리를 지키고 있었다.

"잘 지냈어?"

"응. 너도 주인이 좋은 사람이야?"

"완전 좋아. 난 꿈을 이뤘어. 진짜로."

"꿈이라니?"

"이것저것 처음 먹어보는 음식들이 항상 곁에 있지롱."

"오, 좋겠다. 우리 주인도 엄청 착해. 항상 쓰다듬어 주고 따뜻한
말들을 건네줘."

"다행이네. 근데 민호 형은 몸 많이 아파?"

"괜찮아. 내가 이래 봬도 아름이보다 더 많이 돌아다니는걸."

"역시 민호 형! 근데 형, 누나들 혹시라도 소식 들은 거 있어?"

"아니, 전혀……."

"나중에 들으면 알려줘. 참, 난 하늘 아파트에 살아."

"진짜? 가깝다. 우린 너희 아파트 근처 투룸에 살아."

"우와! 그럼 나중에 보며 꼭 인사해줘!"

"당연하지. 담에 또 보자."

지민의 해맑은 모습에 떠오르던 옛 추억은 눈앞에 아른거렸다. 표
정에서 드러났는지 민호가 다가와 볼을 핥았고 기억은 가슴 한편에

묻어졌다. 겨울의 추위는 무섭게 다가왔으며 창문 틈새에 새어 나오는 한기에 움츠러들 정도였다. 몇 날 며칠 지속하였고 하얀 눈이 사방에 쌓여 자동차는 제 속도를 내지 못하는 날들의 연속이었다. 주인은 환기한다며 창문과 현관문을 열었고 다급한 목소리가 귓가를 자극했다.

'멍! 멍멍!'

한 번씩 홀로 나가 산책한 탓에 이번에도 그녀는 머리를 쓰다듬어 주며 하얀 안전문을 열었다. 빠르게 목소리가 들리는 곳을 달려갔고 점차 가까워질수록 전과 같은 심장의 요동침은 증폭되었다. 터질 것만 같았지만, 얼굴엔 그리움과 다급함의 알 수 없는 표정이 드러났다. 소리의 강도가 커질수록 가까워졌으며 코너를 돌자 수많은 무리의 그림자가 모습을 드러냈다. 머릿속에 기억되는 익숙한 얼굴들과 코끝을 간지럼 피우는 냄새들, 눈엔 눈물이 고였으며 먼 발치에서 녀석들의 대화를 숨죽이며 귓가를 향했다.

"우린 그동안 서로를 위해 살아왔어. 수많은 문제를 싸워 나가며 지금의 이곳에 있을 수 있었어. 앞으로도 그럴 거고 떠난 그들을 위해 평생을 살아갈 거야. 너희가 다른 곳에서 왔어도 공격하지도 그렇다고 멸시하지도 않아. 그러니까 같이 살자. 누가 따돌리고 멸시하고 공격한다면 말해. 도와줄게."

걱정은 한 줌의 재가 되었고 계속 이어져 온 다름에 대한 인정은 자리를 잡고 있었다. 어린 줄만 알았던 오드 아이를 가진 백구 녀석은 리더가 되어 있었으며 수많은 상처와 난관 속에 성장해온 거 같았다. 녀석들을 뒤로 한 채 발걸음을 되돌리자 목소리가 귓가에 닿았다.

"분홍 고양이 아름이 이모! 고마워요. 이모가 건네주었던 조언이 힘이 되었고 이모가 잡은 틀이 희망이고 현실이 되었어요. 생각나시면 언제든지 찾아와주세요. 조심히 가세요. 아름이 이모!"

뒤로 돌아 눈을 마주치자 동시에 커다란 울음소리가 거리에 울려 펴졌다. 터져 나오는 눈물을 머금으며 똑같이 부르짖었고 하얀 눈은 곁에 스며들었다. 떠났던 그 날처럼 눈은 곁에 머물렀으며 옅은 미소를 보이며 그들에게서 발을 돌리자 여정은 끝이 났다.

살갗을 스쳐 지나치는 매서운 바람과 빠짐없이 하얗게 채워가는 눈발, 새로운 세대가 뒤를 이어갔으며 직면하는 문제에 대해 해결해 나갈 것이다. 앞으로 어떤 세상과 어떤 갈등들이 머물지는 아무도 모른다. 다만, 해결하지 못한 과제는 다른 세대에서 해결할 것이며 무한한 신뢰와 믿음을 비춰줄 뿐이다. 쌓여가는 거리에 발자국과 여정을 남기며 쏟아지는 눈보라 속으로 아름은 모습을 감췄다.

작가의 말

지역, 인종, 국적, 종교 등 특정 집단에 증오심을 가지고 속한 사람에게 테러를 가하는 행위가 없어지길 간절히 바랍니다.

-해당 소설의 폰트는 부크크체로 작성되었습니다.-